Con amor, tu hija

CON AMOR, TU HIJA
D. R. © Jorge Alberto Gudiño Hernández, 2011

ALFAGUARA

De esta edición:
D. R. © Santillana Ediciones Generales, S.A. de C.V., 2011
Av. Río Mixcoac 274, Col. Acacias
México, 03240, D.F. Teléfono 5420 7530
www.alfaguara.com.mx

Primera edición: julio de 2011

D. R. © Diseño de cubierta: Everardo Monteagudo

ISBN: 978-607-11-1201-9

Impreso en México

Con amor, tu hija

Jorge Alberto Gudiño Hernández

*Para Bastian, quien me tiende
los brazos para que lo acompañe
a descubrir el mundo*

Somos imperfectos porque hemos rebasado la perfección.

Jean Baudrillard

Cuando recibí el mensaje de Emily anunciando que vendría acompañada, sentí una ligera crispación, como si algo se hubiera desgarrado en el ambiente y luego vuelto a cerrar, dejando una rendija por la cual se colara una ráfaga gélida en medio de la tibia parsimonia del trópico. Por más que la herida se hubiera curado, siempre quedan vestigios, cicatrices.

Creo, incluso, que esa crispación se tradujo en un escalofrío que me levantó de la silla, precipitándome hacia la ventana. No encontré el paisaje apocalíptico para el que me había preparado, ni siquiera el gris mandoble de un cielo con tintes blanquecinos y ningún contraste. A cambio, me topé con lo habitual en cuanto recompuse mi angustia sujetándome con fuerza de la jamba de la ventana: fundidos en el horizonte, un cielo y un mar traslúcido en el declive malva del atardecer. A lo lejos, unos veleros deportivos tiñendo de matices las aguas con sus banderas y sus velámenes patrocinados. Una de las tantas regatas que se celebran en estos mares; la insania plena de aquellos que no debiendo luchar por su vida, lo hacen por placer. Mucho más cerca, el rasguño malevo de las aguas sobre la arena gualda, ahíta de repetición pero altiva de fortaleza. Era la conjunción absoluta de todas las razones por las que me había mudado a la isla, a esta casa. Incluso alcancé a jugar con la idea del barco a punto de avanzar por el sinuoso camino por donde bajo todos los días a la playa; tal era la ubicación desde mi perspectiva.

No soy capaz de discernir si fue la certeza que me brindaron las imágenes cotidianas, aderezada por el gorjeo vespertino de los mirlos, lo que me hizo pasar por alto la crispación. Es difícil elegir a toro pasado la serie casuística de nuestro proceder. Si acaso conseguimos adaptar nuestro presente a las posibilidades de antaño, pero no es más que una fatamorgana elaborada por nuestras convicciones. En este caso, tal vez fue la secuencia de los tragos con la que me adentré a una noche plagada de estrellas o el incitante crepitar de las brasas de los cigarros suaves con los que suelo terminar el día. No lo sé. Si fuera cosa de escoger, optaría por la suma de las tres circunstancias, pero elegir una sola sería desperdiciar el resto. Da igual. El caso es que antes de irme a la cama ya lo había olvidado.

Ha venido a mi memoria al día siguiente. El aviso me recibe en cuanto termino el desayuno. En el escritorio me esperan mi consabida jarra de café y mi computadora portátil. Antes de levantar la tapa para enterarme del estado del mundo, de los correos, presiono con calma el émbolo que colará el grano, apresándolo contra la base plástica de la cafetera. Más que presionarla, descanso la muñeca sobre la perilla; su tacto metálico responde a la gravedad conforme se entibia. Va cediendo poco a poco al peso hasta que acaba su recorrido. Sólo entonces me sirvo la taza, reclino el asiento y me preparo para el primer sorbo mientras miro mi pedazo de mundo por la ventana. Disfruto de la sorpresa que me regala un gránulo de café fugado del tamiz.

Hay quien asegura que los rituales son propios de los inseguros o de los neuróticos; también se puede incluir a los artistas. Salvo que se equivoquen, las tres cualidades me vienen bien, con sus matices. Aunque yo creo que el asunto del ritual tiene además un componente atávico que se ha ido acrecentando conforme pasan los años. Entonces los rituales son propios de los viejos y eso es algo que, en definitiva, aún no soy. Mas no por ello se me podría convencer de que el café tiene el mismo gusto si se sirve directo de la percoladora, de la marmita, o si se disuelve el contenido deshidratado de un frasco en agua caliente y se revuelve como sin querer, de manera prosaica.

Así que el mundo bien puede esperar a que yo tome este primer sorbo.

Media taza más tarde, una de las ventanas de la computadora me proyecta las esquirlas angustiantes de la espera. Termino por convencerme de que mi suspicacia es exagerada y le contesto a Emily en los términos habituales. Si va a venir acompañada, habrá que resignarse. Yo nunca he sido uno de esos padres que se escandalizan por la vida sexual de sus hijos y no voy a empezar a serlo a estas alturas. Además, los últimos años ya se había hecho acompañar de noviecillos de estación, tan insulsos que no alcanzaron a tomar un lugar en mi memoria. Si acaso hubo un ligero arrebato de celos la primera vez que llegó con uno de ellos, empalagoso hasta decir basta. Lo superé como he superado al resto: resignándome a la idea de que mi hija no es una niña, de que no hay nada que le pueda prohibir que no sea capaz de hacer en otra parte. Así la he visto llegar con una colección variopinta de especímenes. A la hora de escoger prefiero a los que hacen de su cuerpo un templo bien cuidado y se ocupan de presumirlo. Al menos han de ser buenos en la cama.

Como tampoco tengo ánimos de escribir, en cuanto mando el mensaje salgo a caminar un rato con la esperanza de convertir el sendero que baja desde mi casa en un puente sobre el océano. Es una de las ventajas de ser exitoso. Uno puede darse la vida que siempre ha deseado. Y eso es justo lo que he venido haciendo a lo largo de los últimos años: bajo sin presiones hasta donde las olas acarician mis pies, arremango los pantalones del lino más fino que he conseguido, me siento sobre la arena, tomo un nuevo trago de café y me dispongo a que la vida siga su curso.

Decido ir a recogerla por vía terrestre; algo impensable hace apenas unos años, cuando llegué a esta isla. Entonces era necesario cruzar el océano ya fuera en el trasbordador colectivo, en la lancha alquilada o en la embarcación propia. Por suerte ya no es así. El aeropuerto queda a unos veinte minutos por la autopista una vez que se ha llegado a tierra firme desde la península. Es usual que muchos visitantes, sobre todo los que vienen a hospedarse a uno de los grandes complejos hoteleros, contagiados por el exotismo del lugar, prefieran tomar el autobús hasta el embarcadero, desde donde una nave los llevará a la isla, arribando a uno de los tantos muelles que tienen instalados los hoteles. Es una de esas trivialidades que se vuelven irrenunciables a la hora de lanzarse a la aventura, de dejarse seducir por el paisaje. Visto con calma, resulta un desatino porque implica padecer ciertas incomodidades. Verse sometido, por ejemplo, a una nueva documentación de equipaje tras varias horas de vuelo no lo compensa la barrera de coral sobre la que pasa la embarcación con fondo de vidrio. Para ello hay tours mejor planeados. Mojarse las sandalias de lona tan propias para el viaje aéreo o padecer náuseas por el cambio de transporte, tampoco. Cuando no había alternativas uno se aguantaba, ahora es una necedad.

Así que me subo al coche para dirigirme al cordón umbilical de la isla. Una ancha carretera que la une a tierra firme y le quita la posibilidad de pensarse apartada del resto del mundo. La tira de concreto y asfalto que conecta a toda la península desemboca en un pequeño islote que es el epítome del lujo, representado por un fastuoso hotel. Desde que construyeron el camino, mi isla es apenas un satélite adherido al continente, como en las maquetas escolares de la infancia, en las que unos alambres unían a los planetas del sistema solar o como un modelo mostrando las articulaciones y huesos de una extremidad imposible.

Mientras manejo sobre la cinta anclada al fondo del mar por más de un centenar de pilotes, la crispación vuelve a alterar el ritmo pausado de la mañana en el que las gaviotas marcan la pauta a la hora de procurar el frenesí. Es tal el shock que experimento que, por un instante, temo perder el control del automóvil. Me paso al carril de la derecha, reduzco la velocidad y me quito las gafas protectoras. Tal es el impacto de una oscuridad nublándome la vista en uno de los días más soleados de la estación que pienso que, quizá, ésta sea la sensación asociada con la muerte.

Derrapo un poco antes de detenerme sobre el acotamiento de grava rojiza. Estoy sudando pese al clima artificial puesto a la temperatura mínima. Es un sudor frío de los que estremecen con el simple contacto de la camisa sobre la piel. En definitiva, algo está mal y no sé qué es. Jalo aire a bocanadas. Intento convencerme de que todo se relaciona con el correo de Emily, con ese aviso tardío de que vendrá acompañada. Insisto: no soy un padre celoso. Al menos no soy un tipo capaz de armar un escándalo cuando encuentra la mano de un muchacho recorriendo las piernas de su hija con la acuciosa necesidad de los adolescentes por sentir el tacto terso de una piel casi virginal. Habría preferido apartarme a interponer mi veto al descubrimiento de su sexualidad. Además, Emily ya es una mujer adulta, responsable y libre de hacer lo que le venga en gana. Me lo repito en voz alta sin poder asociar mi indisposición con su comparsa: no es la primera vez, concluyo bajando la voz hasta el límite de los pensamientos.

Termino convenciéndome de que, si acaso, lo que empaña mi ánimo tiene relación con no estar a solas con ella. Desde hace varios años todos nuestros encuentros han estado acompañados de testigos distrayendo el acontecimiento que me significan sus visitas. Tal vez me haya ilusionado injustamente y el que Emily me avisara de último momento rompió con la idea de los dos solos: padre e hija desvelados bajo la luz de las estrellas mientras comparten las circunstancias de sus vidas.

Sí, eso debe ser.

He logrado recuperar el ritmo cardiaco a fuerza de respiraciones lentas y profundas. Reanudo la marcha para llegar al aeropuerto con anticipación. Es grande, moderno a fuerza de remodelaciones. Si no fuera porque da servicio a toda la zona turística, parecería exagerado para el número de habitantes de la región. Mis constantes viajes han hecho que termine acostumbrándome a su movimiento, al tráfago de sus visitantes, a la brisa en medio de los arribos debido a la potencia del aire acondicionado. Me estaciono en una zona poco concurrida, a diferencia del resto de los automovilistas, que prefieren la aglomeración acercándolos a las puertas. Yo prefiero estar próximo a la salida pese al golpe de calor que se siente en cuanto bajo del auto. Suelo tener más urgencia por llegar a casa que a un destino fijado por mis compromisos.

Una vez dentro del gran vestíbulo, me dedico a pasear por los corredores. Las pantallas anuncian un aterrizaje a tiempo pero sé, por exasperación propia, que en vuelos como el de Emily se debe aguardar una media hora antes de ver salir a sus pasajeros desesperados por los trámites aduanales y traslados internos. Intento distraerme con las tiendas, pero son una réplica exacta de todas las del mundo: ofrecen chucherías y recuerdos a precios de escándalo. Muy a mi pesar termino en un puesto de libros y revistas. Es curioso cómo un comercio que apenas acumula un par de docenas de títulos diferentes, repetidos en anaqueles y grandes pilas, pueda vender más que una librería en forma.

Debo decir que me sorprende toparme con una nueva reimpresión de *Bajo la sombra blanca del abedul*. Está en una pila al lado de mi más reciente novela, la única que esperaba encontrar en estos comercios de rauda caducidad que sólo tienen cabida para las novedades. Dar de frente con mi primer libro me resulta tan extraño que termino comprándolo. A la hora de pagar, el cajero se detiene un par de segundos para verme con detenimiento. Por suerte, un grupo de clientes le impide identificarme y salgo aprisa con el ejemplar en una bolsa plástica. Es una edición en rústica con una portada nueva: un fondo entre ocre y rojizo y, justo en el centro, la silueta de un árbol negro proyectando una sombra nívea; resulta chocante la poca creatividad de los editores, aunque es probable que la decisión la haya tomado un grupo de mercadólogos insumisos. Bajo el retractilado, un cintillo anuncia: "Más de cinco millones de ejemplares vendidos". En la contraportada, elogiosos comentarios publicados en la prensa especializada a lo largo de dos décadas. Sonrío con indulgencia al recordar la andanada aun mayor de frases denostando mi novela. Por supuesto, ésas no han sido incluidas.

En cierto modo, esos críticos tenían razón. *Bajo la sombra blanca del abedul* no es un buen libro. Apenas un melodrama que no se acerca, ni de lejos, a una propuesta literaria valiosa. Una novela ligera pese a su medio millar de cuartillas que "se van como agua". Con ella descubrí que la buena literatura tiene más facetas de las que busca reconocer el canon. ¿Por qué tendría que ser mala si a tantas personas les ha gustado? Incluso, a lo largo de los años, me he topado con lectores agradecidos por haberles cambiado la vida. Si ellos sospecharan que a mí no me gusta esa novela… Al menos, no me encanta. Me pregunto qué pasaría si se incluyeran las críticas adversas. Sería un experimento interesante. Desecho la idea porque sé que mis editores nunca la aceptarán.

Calculo que faltan pocos minutos para que las puertas lancen a Emily a mis brazos. Me dirijo a la zona de arribos internacionales y me recargo en una columna; siempre evito sentarme para no dar oportunidad a otras personas de iniciar una plática. Me sorprende la gente que está dispuesta a exhibir su intimidad al menor pretexto. Quito el plástico a mi libro y me deshago del cintillo. Es una edición barata, burda, de ésas que tienen palabras casi al borde de la hoja. En las últimas páginas encuentro reseñas de mis otras novelas y, al final, una foto mía en blanco y negro de la época en la que la había escrito. La falta de color consigue atenuar la palidez de aquel entonces. A cambio, mi frente se ve libre de entradas y mi piel se nota lozana. Sin afán presuntuoso puedo decir que me veo bastante guapo. Sonrío nostálgico pese a que los años me han tratado bien. Busco un espejo para compararme, pero mi mirada se topa con la de Emily a la distancia.

Antonia tiene todos los atributos que me gustan en una mujer, al menos si soy lo suficientemente objetivo. Lo descubro desde que Emily rompe nuestro abrazo para presentármela.

—Antonia, mi papá, mi papá, Antonia —dice justo antes de que mi mano tendida sea ignorada para, a cambio, plantarme un par de besos.

Debe ser varios años menor que mi hija. Es decir, apenas es una niña que no alcanza la veintena, la edad precisa para despertar el deseo del más ecuánime. En medio del vestíbulo del aeropuerto, a expensas del trajín cotidiano, la descubro alta, casi de mi estatura. Me gusta la seguridad que irradia y el tono dulce de su voz. Me ofrezco a ayudarles con sus bolsas de mano mientras las conduzco hacia la salida, seguidos por un maletero que se empareja a nuestro ritmo, como queriendo apresurarnos para atender a otros clientes.

En cuanto salimos a la cálida luz exterior, que resulta sofocante, Antonia deja caer sobre sus ojos las gafas que descansaban sobre su cabeza. Me vuelvo testigo de su cabellera dejándose seducir por una ligera ventisca, la misma que casi me envuelve en una breve fantasía: como muchos de los turistas neófitos, ha cometido el error de viajar ataviada por el destino y no por el trayecto. Su breve vestido floreado acusa los efectos del aire y se levanta un poco, lo suficiente para mostrar casi por entero sus muslos, en donde podría perder la mirada. No se inmuta. Como tantos veraneantes en clima tropical, asume que los lugareños están acostumbrados a la contemplación de la piel desnuda. No sé si sea cierto. A mí me sigue causando un gran deleite la semidesnudez que me ofrendan las mujeres en reposo sobre la franja de playa que alcanzo a contemplar desde mi terraza. En los días más aciagos, hasta me apresuro a recorrer distancias largas en pos de un atisbo que me salve de la melancolía.

Ignoro si es una condición compartida por todo el género al que pertenezco pero, desde que tengo memoria, no puedo pensar en un solo día en que no haya fantaseado con recorrer una piel desconocida, con tomar por el talle a una mujer o con hacerle el amor de tan diversas formas que he acabado por repetirme. Me basta un pretexto nimio como una sonrisa, el avistamiento de una rodilla que debería cubrir la falda o la cadencia de un andar resuelto y voluptuoso para dar rienda suelta a mi imaginación estimulada por mis deseos. Desde ahora sé que Antonia no saldrá indemne de mi acoso despiadado, aunque éste sólo tenga cabida en mi mente urgida de historias placenteras.

Antes de llegar hasta donde he aparcado, Emily me arrebata *Bajo la sombra blanca del abedul*. Yo lo llevaba para incluirlo en el librero donde acumulo reimpresiones y reediciones de mis obras. Si bien sé que la editorial tiene la obligación de mandarme algunos ejemplares de cada nuevo tiro, apurar el proceso del acomodo sirve para mantener contento a mi yo interior. El ego crece conforme se van llenando las estanterías.

Antonia se muestra interesada por mi libro. Por lo que puedo colegir, ella sabía bien quién soy; incluso ha leído alguna cosa escrita por mi pluma. No sé precisar si una novela o alguno de los artículos que mando cada tanto a periódicos alrededor del mundo. Antonia lanza la más común de las preguntas respecto al libro:

—¿De qué se trata?

Me refugio en la conducción del automóvil para evitar la respuesta. Siempre he sostenido que nadie es capaz de contestar a esa pregunta salvo el propio libro. El resto son síntesis parciales filtradas por la subjetividad de quien las elabora. Pedirle al autor ese trabajo es un doble contrasentido: se le obliga a adoptar una postura parcial y nueva frente a su obra, a escoger qué vale la pena de ella como para comentarlo y, peor aún, debe trabajar de nueva cuenta, como si no bastara con lo ya escrito. Por eso, desde hace algunos años me niego a responder pese a la gravedad de mi negativa durante una entrevista en vivo, por ejemplo. Vaya si me he acarreado algunas enemistades.

—Vamos a ver —interviene Emily, componiendo la situación—, voy a intentar ser clara. Si me equivoco en algo, me avisas.

Asiento con la cabeza. Durante todo el recorrido hacia la casa, Antonia escucha la entusiasta explicación de Emily describiendo la trama. Le cuenta cómo Ogashi, un viejo militar japonés, se sentaba todas las tardes bajo la sombra que le brindaba un abedul para recordar lo que había sido su existencia acatando órdenes, siguiendo la estricta disciplina castrense. Era un sobreviviente de la guerra. Había estado en el ataque a Pearl Harbor y, por una suerte que en nada lo ennoblecía, se había salvado de perpetrar un ataque suicida en contra de uno de los barcos anclados en el puerto porque su avión tuvo problemas técnicos. En el presente de la novela, él se encuentra vencido, es viejo y su familia lo ha abandonado. Se resigna a pasar lo que le quede de vida al amparo de sus recuerdos. Sin embargo, en un trágico accidente mueren su hija y su yerno, y queda malherido su nieto.

Ogashi es el único familiar que acepta hacerse cargo de Kioki a quien trasladan a la casa de reposo donde vive. Los médicos le han diagnosticado un estado similar al del coma. Si bien en un principio el viejo se descubre renuente por atender al pequeño, pretextando que a su edad él debería recibir los cuidados, poco a poco va encontrando gusto en su compañía. Cada tarde Ogashi empuja la silla de ruedas desde donde el pequeño intenta pelear contra la inconsciencia. En cuanto llegan bajo el abedul, el anciano le cuenta la historia de su vida con la esperanza de que esa rutina alcance para que Kioki se recupere. Aunque no se sabe si servirá para que el niño mejore, lo cierto es que, a fuerza de repetir este proceso, Ogashi se va reconciliando con su pasado.

—¿Qué pasa después? —la pregunta de Antonia es sincera. Su voz entusiasmada lo confirma. Estamos llegando a casa. Durante todo el camino la he espiado por el retrovisor. Llevaba la vista perdida en el paisaje, absorta, mientras escuchaba a Emily contándole el inicio de mi novela.

—Después debes leer lo que este señor escribió… —dice Emily antes de aventarle el libro— con suerte y te lo dedica cuando lo termines —concluye entre carcajadas por hacerme parecer un ogro.

Antonia hace un mohín pero se queda con el libro entre las manos. Se le nota la decisión de leerlo.

Les ayudo a llevar su equipaje hasta la habitación. Es una terna de maletas que me obliga a dar dos vueltas. Me pregunto qué tanto pueden cargar para ir a la playa. En lugar de responder, descubro que mi pregunta buscaba ocultar el hecho de que no soy tan joven como quiero creer. En otros tiempos habría bastado sólo un recorrido. Le resto importancia a mis temores y deposito el equipaje en las camas. Me dicen que van a acomodar la ropa, que se pondrán cómodas y que me alcanzarán en la terraza dentro de algunos minutos. Entretengo la espera preparándoles unos cocteles con vodka, jugo de frutas y hielo frapé. Para cuando me alcanzan, ya las aventajo con un par de tragos; una de las prerrogativas del trópico es que el efecto del alcohol se dilata y entretiene en un estado casi permanente. En cuanto escucho el inconfundible sonido de las sandalias contra el piso de barro, una nueva crispación llega junto con el aroma de aceite de coco, brisa marina, atardecer y mujer joven.

Lo que más me gusta de una mujer son sus piernas y, sobra decirlo, me encanta verlas sin el estorbo de la ropa. Aunque, siendo sincero, también le encuentro sus ventajas al observarlas enfundadas en licra o en cualquier tela que me permita ver el contorno exacto de sus formas. Desde adolescente me descubrí capaz de perderme contemplándolas durante largos minutos. Me bastaba un atisbo para perderme en la ensoñación. Con los años me volví menos exigente. No quiero decir que sea incapaz de escoger unas sobre otras; hay las que me alteran el pulso y la respiración pero, también, me basta con que una falda me regale, en el acto de cruzar una sobre la otra, un fragmento mayor de piel, para que se me olvide que la mujer en cuestión es poco agraciada. En verdad, me resultan suficientes unos cuantos centímetros para echar a volar mi fantasía. El problema, claro, radica en que estas miradas pertenecen a lo subrepticio. A pocas mujeres les gusta el peso de una mirada fija, contemplándolas con descaro. Quizá ésa haya sido la razón principal para mudarme a este paraíso. Si bien hubo una época cuando el juego del descubrimiento era lo sensual, ahora prefiero la brevedad impuesta por el clima, sin especulaciones ni angustias.

Me siento un poco frustrado cuando Antonia y Emily se presentan con shorts, porque yo esperaba ver a la española ataviada sólo con un diminuto bañador que me permitiera apreciar a todo lo largo sus extremidades. Aun así, en cuanto se acomodan en las tumbonas, me armo de paciencia, cubro mi mirada con las gafas y me dedico a apreciarla.

Antonia es demasiado blanca, casi rosada. Tiene una de esas pieles que, de inmediato, acusan los efectos del sol y enrojecen. Ya he dicho que es alta por lo que se puede inferir que tiene piernas largas, quizá un poco delgadas. No importa. A la hora de elegir, prefiero las extremidades más llenas, con más forma; las modelos de pasarela nunca me han gustado, todo es hueso sin sustancia, líneas rectas, poca superficie para el tacto; pocas variantes que ofrecer a la caricia. Antonia no llega a esos extremos. Sus piernas son lindas. Además, cuando una mujer está sentada, siempre se ven más gruesas de lo que son. Sobre todo si, por ejemplo, alzan una mientras la otra está estirada.

Así es como se sienta Antonia, adoptando esa postura para dejar su bebida cómodamente sobre la mesa que está entre ellas, sin sospechar que es vulnerada por el padre de su amiga. Entre los tres formamos una especie de círculo desde donde yo puedo observarla sin ambages. Los lentes para el sol son la bendición de los fisgones. Brindamos todos, por el gusto de estar aquí, reunidos; por el gusto de que estén aquí, conmigo; por el gusto de poderla contemplar, impune. Brindamos por la tarde que brama su presencia a manera de brisa y resplandor.

Antonia es una persona que no puede estar sin moverse. A cada momento se reacomoda, cambia de posición, tiene la inquietud de los insumisos. En contraparte, Emily puede quedarse quieta por horas, abandonando a su cuerpo mientras sus pensamientos y sus palabras transitan por todo el entorno, inundándolo. Una y otra vez he tenido ocasión para ver desde diferentes ángulos las piernas de Antonia. Al moverse, las marcas rosáceas que le producían las tiras de las sillas le creaban franjas sobre la piel. Incluso he escuchado el chasquido inconfundible cuando una parte de su cuerpo se despega de la superficie de madera. Si por mí fuera, me quedaría mirando el cambio paulatino de color durante toda la jornada pero pronto el hambre hace su llamado y tengo que irme para preparar algo de comer.

Durante la tarde, Emily le cuenta a Antonia la primera visita que hizo a esta casa. No hacía mucho que me había divorciado de su madre. La tensión se respiraba y no eran suficientes la enorme sábana de playa desierta ni el imponente turquesa matizando los destellos del sol. La casa había sido terminada con prisas por lo que se encontrada urgida de adornos y sutilezas; apenas había lo suficiente para permitirme la rutina de hombre solitario, nada que ofrecer a una adolescente en ciernes. Mucho menos si su arribo se acompañaba de una hostilidad difícil de diluir en las aguas tranquilas del paisaje.

Lo que para cualquier niño o joven habría sido un paraíso, para Emily significó constatar que cada uno de los mandobles con los que su madre había atacado a mi persona en ausencia, se convertían en pesadas lápidas que no podían ser eliminadas con explicaciones. Fueron días difíciles que se volvieron más aciagos cuando descubrimos la grieta en la piscina. A partir de ese momento, mi hija se pasó gran parte de las mañanas mirando melancólica la excavación vacía. Hasta entonces no se había metido a la alberca pero eso poco le importó a la hora de culparme por su aburrimiento. Su madre tenía razón: yo era un mal hombre que no se ocupaba de satisfacer las más elementales necesidades de sus seres queridos.

Al menos, eso es lo que Nora le dijo a Emily a lo largo de todo un año sin entablar contacto conmigo. Nunca busqué defenderme de los ataques, mucho menos tomar la ofensiva, tampoco ignorar la responsabilidad que yo había tenido en la ruptura; pero eso no justificaba que me hiciera culpable a los ojos de nuestra hija. El divorcio vino tras el éxito de *Bajo la sombra blanca del abedul*. Nora me atacaba con cualquier pretexto, no me daba tregua ni me escuchaba. Pronto descubrí que, en su fuero interno, odiaba la idea de que tuviera más éxito que ella. No tuve problemas cuando habló de divorcio, incluso accedí a la exagerada lista de exigencias de su abogado. Lo único que me interesaba era que Emily estuviera bien conmigo pero el mal parecía hecho. Tanto, que fue mi frustración la que la condujo de vuelta al aeropuerto con la promesa de una nueva visita meses más tarde. Una nueva visita que, justo entonces, ninguno de los dos necesitaba.

—¿No nadaste durante ese primer viaje? —pregunta Antonia mostrando interés. Me gusta su actitud, cualquier plática le llama la atención como si fuera lo más importante del mundo, resulta sencillo hablar con ella. Se ha incorporado un poco en su silla, las piernas replegadas, mostrando un perfil más interesante que cuando las estira.

—No nadé ni lo disfruté, pero fue la única vez. A partir de entonces no he dejado de gozar esta maravilla —conforme Emily esboza su exagerado discurso, hace un extenso ademán con los brazos. Luego se levanta para quitarse los shorts y lucir un bikini que da cuenta de su piel apenas bronceada pero que ya muestra la tonalidad de la cerveza oscura que alcanzará en unos días—. ¿No me acompañas? —se dirige a Antonia con un dejo de coquetería, sabedora de que yo casi nunca nado. Si acaso me meto para descansar los codos en una orilla que me permita contemplar determinado atardecer con un vaso de bourbon en una mano y un cigarro en la otra; algo que sólo hago en solitario.

—Ahora no. Te alcanzo luego.

Emily no insiste, se tira a la alberca, emerge y patalea un poco antes de comenzar a dar brazadas.

Mi primera oportunidad para ver a Antonia sin esos shorts y la breve camiseta desaparece al tiempo de su negativa. Aduce no tener ganas, prefiere aprovechar para leer mi novela, sonríe con la boca un poco torcida, mirándome con intensidad. Le devuelvo el gesto antes de desaparecer para revisar mis correos. El sosiego acompaña mi incursión a la casa. Cuando me asomo por la ventana, el cielo va adquiriendo tonos naranja, Emily sigue en el agua y Antonia tiene la vista perdida en el horizonte. *Bajo la sombra blanca del abedul* descansa boca abajo en su regazo. Está abierto pero no puede llevar más de unas cuantas páginas leídas.

Emily me ha pedido el auto para salir esta noche. Irán a un bar o a una disco para divertirse. Resulta evidente que le dije que tomara las llaves sin dudarlo. Ya no es una niña, por eso ni siquiera le recomendé que tuviera cuidado o que, si llegara a beber mucho me hablara y yo iría por ellas. Tiene toda una vida hecha en la ciudad donde vive como para que me vuelva quisquilloso. Allá no le rinde cuentas a nadie. Sale y entra a voluntad, en su propio automóvil o en el de sus amigos. No avisa a qué hora llegará ni a dónde se irá a meter. No seré yo quien se lo pregunte.

Sin embargo, algo en su actitud me molesta. Quizá de ahí provengan las crispaciones que he estado sintiendo. En cuanto me enteré que vendría acompañada supe que no toda su atención estaría en mi persona, en su padre al que ve, si acaso, un par de veces al año. Puedo soportar la compañía con cierta resignación, para mí también es un bálsamo que impide que las palabras exploren nuestra intimidad. Salvo por estas visitas esporádicas, me he dado cuenta de que cada vez conozco menos a mi hija. Se debe tanto a su madurez como a la distancia interpuesta entre nosotros. El caso es que nos hemos distanciado. Entonces está bien que se haga acompañar. Es una forma de marcar distancias, de protegerse. Sabe que yo sería incapaz de cuestionarla demasiado si tiene a alguien a su lado; creo que tampoco lo haría si viniera sola. En fin, estoy de acuerdo con ello, hasta me brinda cierta tranquilidad. El problema es cuando salen.

Venir con una amiga, con un novio o un amante, los obliga a pasear, a disfrutar las ventajas que les ofrece este paraíso tropical. Eso me hace sentir relegado. Me queda claro que no tendrían por qué invitarme. Qué iban a hacer dos jovencitas con el padre de una de ellas a la hora de sentarse en la barra de un bar, a la espera de un par de conquistas, de una invitación a un trago, de algunos bailes en la pista. No voy más lejos. Las ocasiones anteriores el compañero era hombre, el amado en turno. Nunca pensé en asistir como chaperón. Volvían por la noche a encerrarse en su recámara. No había riesgo de que se fuera con un desconocido obedeciendo sus deseos. Sé que ahora es probable pero prefiero no imaginarlo. Mi problema radica en algo mucho más simple que el conflicto por la sexualidad de mi hija. Es la certeza de que, aun cuando nos vemos poco, Emily necesita salir, escaparse de la presencia de su padre. Y la entiendo, en verdad la entiendo. Pero comprender algo no sirve de consuelo.

Salen de su habitación armando cierto alboroto.

—¿Verdad que se ve preciosa? —me pregunta Emily cuando entran a la estancia principal.

Antonia va ataviada con un vestido corto, entallado. De ésos que marcan con precisión la figura. Las tonalidades verdes se funden sobre una gama amarillenta. Sus piernas se vuelven eternas dada la cortedad del vestido que incita a la caricia. Sobre todo, a la altura de sus nalgas, resaltadas por la elasticidad de la tela. Su cintura es el angostamiento justo entre dos promesas.

Antes de que pueda contestar se da una vuelta, rápido, como ocultando con pudor su propia silueta. Parece arrepentirse y entonces inicia otra. Sus tacones resuenan al compás de mis expectativas. Gira despacio para que yo dé mi aval a sus pechos pequeños, a su palidez contrastando con el colorido que la cubre. No lleva accesorios. El pelo suelto basta para atraer todas las miradas. Sonríe. Yo la imito pero no me dejo vencer por el entusiasmo. Debo contenerme. El deseo es algo que no tiene cabida en esta apreciación de su belleza:

—Sí, se ve bastante bien.

—Emily también, ¿verdad? —ahora es Antonia quien pregunta, buscando desviar la atención a su persona. La escena me parece un tanto infantil, sacada de la adolescencia de mi hija, un periodo al que, por desgracia, sólo pude asistir desde mi embalse.

Siendo objetivo, debo decir que Emily se ve mucho mejor que ella. Hay quien podría decir que va menos arreglada, más casual. No importa, le queda mejor ese aparente descuido, aunque de seguro es premeditado. Lleva una falda corta, de mezclilla deslavada, con los bajos deshilachados y blanquecinos. A la altura de las trabillas, una larga mascada hace las veces de cinturón. El colorido es máximo, tonos naranjas, rojizos, uno que otro violeta cayendo sobre su costado para jalar la vista hacia una piel más armónica, cobriza. Una camiseta corta cubierta por una camisa apenas abotonada regala la visión de su ombligo y permite adivinar unos senos armónicos que se dejan ver un poco por el escote generoso. El resto son accesorios. Collares y pulseras al por mayor, varios aretes en cada oreja, uno más en la nariz; la cara libre de maquillaje, no lo necesita. Su pelo corto busca aparentar descuido.

—Claro que va a decir que me veo bien. Para él no hay mujer más bella que yo. ¿O no, pa? —y se me acerca para darme un beso en la mejilla antes de que pueda articular respuesta alguna—. No nos esperes despierto, no sabemos a qué hora volveremos —concluye transformada. De la pequeña que fue con la primera afirmación sólo quedan las palabras; en cuanto se da la vuelta se convierte en una mujer en forma, que derrocha sensualidad.

Al menos ésa es mi última apreciación cuando ya las dos me dan la espalda, ofreciéndome el espectáculo de su contoneo. Antonia es más joven, le saca varios centímetros a Emily y su vestido resulta por demás provocador. Aún así, Emily es más bella, su figura más armónica y su actitud más natural. Las veo perderse tras la puerta, escucho las portezuelas, el sonido del motor y su partida.

Para pasar las primeras horas de la tarde he intentado escribir. Estoy a unos cuantos capítulos de terminar mi nueva novela. A estas alturas, ya tiene contrato, nombre y vías de distribución en varios países. De hecho, se espera que la entregue en un par de semanas. Pero a mí nunca se me ha dado bien trabajar bajo presión. Aunque ya sé qué es lo que sigue y cómo acaba, me descubro incapaz de escribir una sola línea. Quizá sea porque no tenía previsto hacerlo a lo largo de la estancia de Emily.

Abro mis correos. En el público se acumulan decenas de mails que prefiero ignorar. No estoy interesado por la repetición cansina de lo que opinan mis lectores. Los hay de dos tipos. La mayor parte de ellos me escribe para felicitarme; para contarme cómo alguna de mis novelas ha contribuido a crearles una nueva visión del mundo; para decir que, gracias a mí, su vida ha cambiado por completo; incluso para invitarme a sus casas o a cualquier lugar con tal de conocerme. A todos ellos les contestaré con los lugares comunes, diciéndoles que acudan a alguna de las presentaciones que tenemos programadas; que, por el momento, mi agenda está saturada y ésas son las únicas posibilidades para encontrarnos. También está un grupo diferente: el de los denostadores. Ellos me reclaman mi éxito. Dicen que no se explican cómo me puede ir tan bien, cómo puedo vender tantos libros y causar aglomeraciones donde me presento si mi literatura es pobre, insípida y sin sustancia. A estas alturas ni siquiera me molestan. A fuerza de ser repetitivos terminan dándome un poco de lástima. Quién, en su sano juicio, dispone de su tiempo para hablarle mal al autor de una novela. Los hay quienes me han escrito largos ensayos explicándome las razones por las que mi literatura es mala. A todos ellos les contesto con un agradecimiento escueto. Nada más. Ya ni siquiera me detengo a pensar en si tienen o no razones para decirlo.

Me encuentro con un par de mails de mis editores, algunas ofertas que se han colado y un mensaje de Rachel. Antes de abrirlo ya siento el pálpito de la emoción. Por eso entretengo el dedo sobre el mouse, enciendo un cigarrillo y aspiro profundo. Forma parte de un ritual amasado durante años. La primera vez que nos encontramos estaba yo inmerso en una interminable gira por culpa de *Bajo la sombra blanca del abedul*. Apenas conseguía ocultar mi hartazgo. Acudí a las presentaciones por disciplina y para convencerme de que sería para bien. La vi sentada en una de las primeras filas y no le presté demasiada atención. Más tarde, durante el coctel, me fue presentada como tantas personas. Con ella iba su marido del que no recuerdo gran cosa. En ese entonces yo todavía estaba con Nora aunque la relación ya no tenía remedio. Hacia la noche me enteré que ella formaba parte del equipo responsable de la traducción al italiano de mi novela. Fue por eso que se unió a mi editor, a unos amigos y a mí en una cena sin pretensiones. Ya no iba su esposo.

El alcohol, las emociones encendidas y el ambiente típico de la madrugada nos descubrió en mi habitación de hotel. No hubo arrepentimientos. Tampoco compromisos. Yo terminé con Nora por otras razones y ella sigue con su marido; creo que ya pasaron los veinte años de casados. De cualquier modo, nos encontramos un par de veces al año durante mis giras. No sé cuáles son sus pretextos. Quizá diga que recibirme y acompañarme durante esa semana forma parte de su trabajo en la editorial. Yo no tengo a quien rendirle cuentas. El caso es que ella reserva una habitación en un paraje del centro de Italia para que vivamos ahí un romance que apenas dura una semana para luego despedirnos sin promesas... No, bien mirado, mi relación con Rachel es una de las más largas que he tenido. No sólo por la acumulación de días a lo largo de los años. También porque, con ella, no necesito fingimientos. Cada uno es el que es y no hay más. Nunca nos hemos peleado, tampoco ha habido desencuentros. Supongo que eso se debe a que la convivencia entre los dos significa un remanso fuera de lo cotidiano.

Ni siquiera nos escribimos mayor cosa a lo largo de las separaciones. Si acaso, un correo como el que abro, en el que me da cuenta de las características del hotel, su arquitectura, el lago que se extenderá para nuestro deleite frente a la habitación. Lo leo y le confirmo la fecha de llegada: dentro de casi tres semanas, dos después de que Emily haya partido, unos días más tarde de mi deadline.

El correo de Rachel me ha puesto de buenas. Me percato de que, aunque nunca hemos hablado de dinero y siempre soy yo quien liquida las cuentas, las últimas elecciones han recaído en hoteles mucho más lujosos. Sonrío para mí mismo, ¿para qué sirve el dinero si no es para gastarlo? Me levanto para servirme un bourbon, enciendo otro cigarro rubio, me detengo a escuchar el repetitivo lamento del mar embravecido por la noche y dejo pasar las horas. Me adentro en un estado de duermevela ayudado por los efluvios de mi bebida, por el arrullo nocturno y por la promesa de un pronto encuentro con Rachel.

El sonido del coche y las risas de Emily y Antonia me sorprenden acostado sobre una tumbona, con la copa mediada sobre el descansabrazos y un sabor acre en la boca. La noche se rasga en cuanto abren la puerta. Sin acabar de despertar, escucho cómo Emily le habla en susurros a su amiga. Es la innecesaria precaución para no despertarme pero basta para quedarme quieto. Supongo que lo menos que desean es volver de la fiesta para encontrarse con un señor adormilado. Desde mi perspectiva las veo entrar. Primero Antonia, lenta. Luego Emily, simulando sigilo al andar de puntas. Su tránsito desplaza mi aliento. De pronto soy yo quien acecha.

Antes de que lleguen al pasillo que las conducirá a su recámara, Emily toma a Antonia por el talle, la detiene. Deja la mano derecha sobre su abdomen. Con la izquierda aparta un mechón de cabello de la espalda, dejando al descubierto sus hombros. Alcanzo a percibir un destello en la mirada de mi hija. Mi cuerpo se estremece, la oscuridad ya no es un misterio.

Un segundo después, besa a Antonia en la curva del cuello. Dos, tres veces. Ella se deja hacer, hasta lanza un gemido tibio y suave como la noche que se cierne sobre nosotros. Se da la vuelta para toparse de frente con la cara de Emily. Han dejado atrás la algazara, ahora todo el sonido proviene de sus miradas encontrándose. Antonia alza un brazo hasta la cara de Emily y aventura una caricia que es bien recibida.

Antes de corresponder algo las detiene. Algo imperceptible, al menos para mí. Emily sonríe y le toma la mano. Y justo así, como dos colegialas, se encaminan al pasillo. Escucho sus pasos, sus murmullos, la puerta cerrándose y unas risas que se vuelven a acallar.

Dejo correr los minutos antes de incorporarme. De mi modorra sólo quedan dudas, los estragos de una conciencia incompleta que no sabe si creer en lo que ha visto. De mi acecho restan las certezas, los sentidos abiertos, las hondas bocanadas. Me levanto, me dirijo a mi cuarto y me tiendo vestido sobre la cama. En algún momento tendrá que llegar el sueño.

Una de las principales condenas de un trabajo como el que tengo es que se duerme poco. Sobre todo cuando no se escribe demasiado. Entonces el cuerpo no sabe de cansancio.

La claridad no ha terminado por asentarse sobre la playa. Se percibe su aliento intentando dispersar los humores de la noche agazapada al otro lado del horizonte.

Me he levantado temprano, casi al amanecer. Supongo que pasarán varias horas antes de que se abra la puerta del cuarto de mi hija. La mezcla del desvelo con la idea de las vacaciones aletarga a cualquiera. Para qué despertar si no es para reintegrarse al ocio, a la mañana tirada en una tumbona, dejando al sol asentar el tono preciso del bronceado. Dicen que a todo se acostumbra uno. No es verdad. Yo sigo sorprendiéndome con el caudal de horas que me ofrece el nuevo día y con la forma en que termino malgastándolas. Preparo un desayuno simple y me siento en la terraza, sin ganas de mucho más, como si me hubiera contagiado el ánimo del letargo, sin atreverme a emprenderla contra el teclado. Tampoco tengo ganas de leer. Prefiero perder mi ensueño distinguiendo los cambios en el paisaje mientras bebo la mañana sorbo a sorbo.

Me he equivocado. A lo lejos distingo la figura de Antonia. Va corriendo por la playa, se aleja de mí. Está enfundada en unos shorts de licra, con un top deportivo. Cuando llega hasta el límite de arena antes de la curva, da la vuelta y emprende el regreso, confiriendo nitidez a mi escrutinio. Es imposible adivinar cuántas vueltas ha dado. Desde aquí se distingue el paso fácil, el poco esfuerzo que realiza para correr sobre la arena. Va bordeando la línea del agua, tranquila, casi predecible. Se da cuenta de mi presencia cuando pasa por enfrente de mí. Apenas alza una mano para saludarme y se vuelve a perder en la distancia, haciendo de su ejercicio una rutina de huellas sobre la arena que se borran casi de inmediato.

Cuando está de nuevo frente a la casa ya he terminado mi desayuno. Aminora el paso y se detiene. Sus respiraciones son profundas pero acompasadas, sin la urgencia de quien ha perdido el aliento. Se acerca hasta la parte inferior de la terraza, la miro desde arriba, le pregunto si quiere desayunar algo y me contesta que prefiere caminar un poco, que si quiero acompañarla. Acepto y bajo de inmediato. El poder de su sonrisa, de su cuerpo sudado y la idea de compañía me bastan para apresurarme. Miento, son el ocio y la rutina, la posibilidad de terminar con ellos, el pretexto suficiente. Ella juega con las olas cuando la alcanzo. Lleva el cabello recogido en una coleta. Antes de llegar me da la espalda por lo que puedo ver el dibujo de sus nalgas apenas cubiertas por la tela elástica. Son firmes aunque un tanto delgadas. Se voltea y creo que me sorprende mirándola pero no dice nada. Caminamos unos pasos a lo largo del mismo circuito que ella corrió antes de pronunciar palabra.

—Emily no mentía cuando me dijo que esto era un paraíso —ella va del lado del mar, dejando que las olas mojen sus pies descalzos, no debe ser fácil correr de esa forma.

—Tiene sus virtudes, la tranquilidad, es apacible. ¿Has estado corriendo desde temprano? —noto lo absurdo de mi pregunta en el momento mismo en que la hago: aún es muy de mañana— ¿No se desvelaron demasiado anoche?

—Un poco, sí, pero si no hago ejercicio apenas despierto me siento mal durante el día.

El diálogo se continúa con trivialidades. Me entero de que ella juega volibol en la universidad, que debe entrenar duro porque quiere probarse para entrar a la selección nacional. Eso explica las piernas firmes, bien formadas, aunque también su ligera delgadez. Sabe que será difícil, que muchas de las competidoras le sacan varios centímetros de ventaja y se lanza a una explicación muy técnica en la que simulo estar interesado. El calor hace sentir su presencia cobrando su cuota de sudor.

Damos la vuelta al fondo de la bahía. Ella sigue por su lado y yo no puedo sino preguntar:

—¿Hace mucho que conoces a Emily?

Entonces me entero de que mi hija se dedica a ser curadora de una galería, que se conocieron en una de las exposiciones, que desde entonces comenzaron a tratarse. No me da muchos detalles. Apenas una enumeración en la que los ocultamientos son más notorios que las palabras. Antonia responde como quien rinde parte, sin dejar nada de lado pero sin profundizar. Me invade cierta melancolía. Es muy poco lo que sé sobre Emily y eso me produce desasosiego. Por varios minutos camino mientras Antonia habla. No le resulta complicado hilar ideas, de un tema pasa a otro sin aviso pero evita hablar del cariz de su relación. Yo tampoco pregunto. La intimidad de mi hija es algo que tengo vedado. Desde hace tiempo me entero sólo de lo que ella quiere decirme y prefiero no inmiscuirme más de lo necesario. Cuando por fin calla estamos a unos cincuenta metros de la casa.

—¿Nunca te metes al mar, digo, a bañarte?

—No, no es algo que acostumbre. Si acaso lo hice un par de veces.

—Qué lástima, teniendo todo esto a tu alcance, con sólo bajar las escaleras.

Busco una respuesta pero, de pronto, su ánimo cambia por completo, se torna festivo, casi infantil. Me toma de la mano y me dice que me adentre junto con ella. Me niego de nuevo pero hay un estira y afloja en el que consigue meterme hasta las rodillas. Salpica agua contra mí y, por un momento, puedo compartir su gozo. Un gozo que tiene que ver con lo atávico, con el juego mismo. Un gozo que es interrumpido cuando le lanzo agua a la cara.

Grita.

Una punzada de dolor le atraviesa el rostro. Temo haberla lastimado, quizá el agua demasiado salada le haya entrado a los ojos. Le pregunto si está bien y ella me dice que algo la ha picado. La jalo de prisa para que salga del agua. En su tobillo izquierdo se ve el avance de la urticaria. Son unas pequeñas ronchas rojizas ganándole terreno a la blancura de su piel.

—Son las aguamalas —le digo buscando que la explicación le atenúe el dolor. Mi tono es serio, casi profesional. Caigo en la cuenta de que es la voz de un padre tranquilizando a su hija.

—¿Son peligrosas? —pregunta con un tono cargado de miedo, se siente indefensa. Más que el dolor, hay algo que escapa de su entendimiento.

—No, pero hay que apurarse —prefiero no hablarle de tecnicismos, tranquilizarla cuanto antes— será necesario que te apliquemos una pomada. Entre más pronto, mejor.

Caminamos hacia la casa. Ella se apoya en mí y luego me abraza por la espalda. Hago lo mismo, rodeándola por la cintura. Debe sentir mucho dolor porque renguea en exceso. Intenta no apoyar el pie completo, apenas la punta. Tal vez fueron demasiadas picaduras simultáneas, quizá sea muy susceptible al veneno que le inyectaron. Para aliviar la tensión le hablo de los múltiples remedios que utilizan los lugareños. Desde jitomates y cítricos hasta orines, le confieso antes de llegar a la escalera. Hace una mueca de asco y ahoga una risilla. De pronto soy consciente del tacto de su piel en su cintura. Su abdomen es firme y su piel tersa pese a la humedad.

—¿Y qué será lo que me vas a poner? No me dirás que terminarás orinándome, ¿o sí?

Su candidez me desarma, me provoca una carcajada que ella comparte. Le hablo del ungüento, de los avances en la medicina, que no tiene nada de qué preocuparse. La dejo en la tumbona mientras corro a buscar el remedio. Es un tarro grande, como de crema vieja. Me siento en el suelo a sus pies, lo destapo y tomo una cantidad generosa. En cuanto siente el contacto se relaja. La sensación calma el dolor de inmediato. Una capa amarillenta cubre toda la hinchazón, los pequeños gránulos que se alcanzaron a formar. Comienzo a frotar, más allá del alivio inicial, es necesario que la piel absorba la sustancia para eliminar las toxinas.

Mi mano se concentra en la pequeña zona. Tomo su pierna de la parte de atrás de la rodilla para que no se mueva demasiado. Ella se abandona, reclinándose contra el respaldo. El color amarillo casi ha desaparecido cuando me descubro haciendo un movimiento mucho más extenso de lo necesario. Mi mano ya no sólo recorre su tobillo, empeine e inmediaciones, también cubre la extensión completa de su pantorrilla.

Me he dejado llevar por la sensación de una piel joven, de la firmeza que me ofrece a cambio de que le dé alivio. Antonia no dice nada, me deja recorrer la espinilla, la corva. Ensimismado, respiro el grato aroma de su piel aliñada con sal, con sudor, con la sábila de la crema. Cierro los ojos un instante, para que mis manos memoricen ese contorno.

Me detengo antes de que trasciendan la altura de la rodilla. Antonia ha enderezado su torso. Abro los ojos para toparme con los de ella. Nos quedamos quietos una eternidad, mis manos sobre sus piernas, las miradas tendiendo un puente de posibilidades. Rompe el encanto.

—Ya que estás en ésas bien podrías ponerme bronceador, ¿qué no?— y sonríe soltando una carcajada.

La suelto. Todo me impulsa a complacerla pero algo me detiene. Estoy buscando las palabras exactas cuando me llega la voz de Emily cargada de modorra.

—¿Pero qué hacen ustedes dos ahí, no ven que ya va siendo hora de desayunar?

Antonia voltea. Antes de incorporarme, aprovecho para ver sus piernas en contrapicada. Lo que no daría por haber aceptado su propuesta.

Me siento como un adolescente con ganas. Para evitar tener mayor contacto con Antonia, pretexto trabajo y me encierro en mi estudio mientras ellas dejan pasar las horas en torno a la alberca. Platican y ríen. Supongo que Antonia no le ha dicho nada a Emily porque la actitud de ambas es relajada. Por mi parte, siento el peso de la culpa carcomiéndome de continuo. No me concentro, no escribo una sola línea, ni siquiera abro mi correo para toparme con la posibilidad de Rachel o para responder mails insípidos de alguna admiradora.

Por el contrario, armado de una buena taza de café, camino por mi estudio para paliar mis ansias. No es que tenga reparos morales, hasta me parece normal dejarme seducir por la amiga de mi hija, su juventud es una excusa válida. Pero ése es justo el problema: es la amiga de mi hija. En cualquier otra circunstancia no me detendría a pensarlo demasiado. No sería la primera vez que conquisto a una joven varios años menor que yo. Los dos somos adultos y los dos nos hemos metido en el embrollo, los dos lo quisimos y no pasa nada. Es una sucesión de frases que he pronunciado en algunas ocasiones tras un encuentro con alguna jovencita. Pero no será el caso ahora. No puedo, Antonia es una mujer prohibida.

Y eso que tampoco me detiene el simple hecho de su amistad con Emily. Mi hija también es una mujer adulta que podría comprender un romance ocasional. Incluso podría mirarme con cierta indulgencia al suponer que es de mis últimas oportunidades para acariciar una piel tan joven, de recibir el ímpetu de esa edad entre mis brazos, de dejarme dominar por alguien con quien compartir mi experiencia. No, no es eso lo que me detiene. Al menos no del todo. Es cierto, siento una suerte de empacho que me impide acercarme pero bien podría vencerlo. El asunto es que son amantes, no me queda la menor duda. Es una situación que me incomoda. Mucho más que los primeros novios de Emily; mucho más que cuando me dijo, aparentando una seguridad que se le escapaba de los labios, que su novio recién adquirido dormiría en la misma habitación que ella.

—Ay, pa. ¿Por qué no íbamos a hacer aquí lo que hacemos en cualquier otro lado?

Tenía razón y yo estaba falto de ánimos para discutírselo. A fin de cuentas, con o sin mi venia, terminarían haciendo lo que les viniera en gana. Para qué empañar entonces la felicidad que me ha regalado con cada una de sus visitas. Así que la dejé hacer una y otra vez, sin escandalizarme por cada nuevo rostro, por cada nueva presentación y los dos encerrados en su cuarto durante varias horas al día. Visto en retrospectiva, concluyo que hasta me daba un poco de envidia su cinismo, el que viviera tan abiertamente su sexualidad al amparo de un padre permisivo.

¿Qué es lo que me molesta entonces? Su silencio. La falta de claridad de esta situación. Si hasta por un momento me hice a la idea de que había traído a Antonia para beneplácito mío, tales son los mecanismos de los que hacen gala los ilusos. Por absurdo que parezca, sigo recurriendo a esa idea de tanto en tanto. Sin embargo, prefiero no hacer nada. Concluyo que Emily la trajo para su propio placer y acepto sus decisiones, incluso aguanto a pie firme su silencio. El problema es que me sigo sintiendo como un adolescente en brama y tímido. De qué otra forma podría explicar mi encierro, mi negativa por toparme de frente con ella. Si hasta he desaprovechado la oportunidad que me significa estar cerca en el momento en que se despoja de sus shorts.

Apenas un instante que contemplo desde la ventana. Con movimientos rápidos se despoja de la prenda. El bikini es mínimo, muy parecido al de mi hija, de ésos que amarran unos breves listones en la parte lateral de las piernas. Antonia se lanza al agua casi de inmediato. No parece reparar en el sujeto que las observa desde este lugar. Concluyo que no hay indicio alguno de insinuación de su parte y me entristezco. Para suavizar el golpe a mi ego, pierdo la vista en los reflejos celestes del agua de la alberca, en su movimiento acompasado en el que termina de fundirse Antonia. Le grita a Emily que se apure.

No sé si lo hago para desprender de mis retinas la imagen de la española apenas cubierta por un par de prendas pero me concentro en los movimientos de mi hija. Primero se quita la camiseta, con lentitud, como si quisiera seducir a un enorme auditorio que se reduce a una persona. Se despoja de sus shorts con calma, brindándome el espectáculo de su trasero pleno, con la tela hundida entre las nalgas. Se da la media vuelta, ofreciéndoselo a Antonia que simula un aplauso contenido, gira un par de veces más y se lanza al agua. Me pregunto cuántos no serán los que deseen a Emily; a la hora de las comparaciones, es mucho más guapa y apetecible que su amiga.

Me siento frente al escritorio, reclino la silla, acerco mi taza de café, le doy un sorbo y cierro los ojos, intentando retener las imágenes que se disipan como los pequeños gritos que provienen de la alberca.

Hacia el medio día la imagen de las dos tendidas ofreciendo su tributo de piel y agua al sol resulta un espectáculo al que no estoy dispuesto a renunciar. Si las piernas de una mujer son lo que más me atrae, su epítome se encuentra justo en la división que éstas hacen con sus nalgas. Es una arruga que anuncia la plenitud de la belleza. Es el doblez necesario para la locomoción o la frontera inmarcesible de los fisgones. Ahí la carne es más tersa, suave, como si estuviera a la constante espera de una caricia.

Ambas están tendidas boca abajo, sus culos se me brindan conforme me acerco. El de Antonia es más plano, apenas deja distinguir la hendidura en la que me concentro. De cualquier modo resulta apetecible. No tanto como el de Emily, por supuesto, pero yo me concentro en el de su amiga aunque no puedo evitar las comparaciones. Echada como está, mi hija deja ver la perfección de sus formas auspiciadas por un color que se vuelve suave, como de brisa acariciándole la piel. Es la humedad en el ambiente, el agua de la alberca, el sol pegando pleno los que vuelven la intimidad de su yacencia el numen de cualquier pensamiento perverso. Justo a la altura de la arruga en que descanso mis pasiones, la humedad se concentra, profundizándola, exaltando la curvatura de sus nalgas que se brindan casi plenas, el calzón entremetido. Antonia es mucho más pudorosa, o se cuida más. La tela está bien extendida, el traje tiene mayor amplitud, la cubre un poco más. De cualquier modo me concentro en su figura al amparo de mis gafas.

Pronto me escuchan. La modorra surca el ambiente, dejándose caer sobre nosotros. Se incorporan de a poco, sostenidas en un brazo, brindándome una nueva postura que no alcanza a sacarme por completo del embeleso. La tarde es una pincelada impresionista; el calor la mejor de sus texturas. Interrumpo el susurro del oleaje para anunciarles que iré de compras al centro. Los víveres no son suficientes para la comida que pienso prepararles. He concluido que, a fuerza de distracciones, puedo salir del estado obsesivo en que me encuentro. No por ello dejo de mirar la extensión de Antonia, tendida en arriesgada postura, cual maja yaciendo en un escorzo provocador. No me hace mucho caso, se tumba boca arriba, frota su abdomen plano y se vuelve a perder en los humores del trópico.

Son varios los segundos que ocupo en observarla: el vientre, la cintura, la suave caída de los hombros, lo pequeño que se ve su pecho que apenas acusa la respiración. Salgo de mi contemplación con la angustia de los culpables. Sé que me he detenido más de la cuenta. Me despido cuando me encuentro con la mirada risueña de Emily que se ofrece a acompañarme siempre que esté dispuesto a esperarla a que se vista. Accedo, cualquier pretexto es bueno para continuar aquí. Casi no tarda, le basta amarrarse un ligero pareo y calzarse unas sandalias. Ha decidido no cubrirse más de lo necesario.

Más que al pueblo, bajamos a la zona turística. Además de los hoteles, ciertas corporaciones vacacionales han construido una serie de pequeñas casas que se rentan por días, semanas o meses. Eso permite no sólo que la economía local haya dado un giro sino que, durante ciertas temporadas, se pueble lo que antes sólo era una zona turística. De esta manera, se pueden encontrar proveedores de todo lo necesario para una buena comida, lo que antes debía negociarse con los pescadores en los muelles ahora se consigue en tiendas gourmet a precios elevados. Es el costo del progreso y de la comodidad.

No llevo un registro preciso y mi memoria no suele ser buena pero deben ser varios los años en los que Emily no ha bajado hasta acá. Salvo que, claro, lo haga en sus escapadas sin mi compañía. La calle principal bien podría confundirse con una pequeña ciudad con ínfulas afrancesadas. Los comercios han sido construidos a lo largo de un corredor de curiosas casitas a dos aguas, llenas de tejas multicolores y con porches donde los caminantes pueden sentarse a tomar una copa mientras se les prepara su pedido. Fuera de la época vacacional, estas tiendas respiran la calma que las prepara para la algazara de un par de meses al año en los que todo se vuelve caótico.

Por fortuna, aún no es así. Somos pocos los que caminamos sobre los adoquines terracota de la avenida. Desde aquí, los ecos de las pisadas se revuelven con el calor que hace sudar al más puesto. En cuanto dimos la vuelta tras haber estacionado el coche, Emily se sorprendió por el progreso, por los cambios tan notables.

—Parece que ya saliste de la prehistoria cultural. Por fin se ve algo digno de un paseo más allá de la playa. Hasta da gusto caminar por aquí —y comienza con una larga explicación acerca de la arquitectura, de lo lindos que se ven los tejados, del acierto de usar maderas en lugar de cemento, de la adecuada elección de los adoquines gracias a los cuales la lluvia se drena sin problemas. Sigue por unos minutos haciendo gala de conocimientos que yo no sabía que son parte de su especialidad. Es entonces que recuerdo las palabras de Antonia, el asunto de la galería.

—¿Cuándo aprendiste todo eso? —le pregunto al pasar sin inmiscuirme demasiado.

—Poco a poco. ¿No te he contado que me metí a estudiar arte y que luego conseguí un puesto en una galería? Con decirte que ya hasta he curado algunas exposiciones —percibo ciertas briznas de entusiasmo en su voz. Me sorprende una ligera andanada de orgullo.

—No, no me habías dicho nada.

Le contesto de forma escueta para dar pie a que siga hablando. Mientras lo hace, continuamos el paseo sin decidirnos a entrar a ninguna de las tiendas. Ella parece fascinada hablando de lo aprendido y yo disfruto pasar este tiempo a solas con ella. Poco a poco pierdo la atención de los detalles técnicos que me ofrece de ciertas construcciones y me doy cuenta de que un grupo de adolescentes se nos queda viendo. Hemos dado un par de vueltas a la cuadra y ellos han aparecido como sin querer para luego seguirnos a la distancia. Al principio estaban acodados en uno de los porches pero ahora parecen esperar para seguir nuestros pasos. Por un momento me preocupo pero pronto descubro que lo que buscan es ver mejor a Emily. No los culpo. En verdad se ve hermosa con su escaso atuendo. Si no fuera porque es mi hija yo mismo intentaría contemplarla el mayor tiempo posible pese a que, de sus piernas, sólo quedan los atisbos que escapan de los faldones del pareo. De cualquier modo, interrumpo tanto el espionaje como su perorata al conducirla dentro de una tienda. No es muy grande pero está bien surtida. Más que a un pequeño supermercado, me recuerda a las charcuterías antiguas. Un gran refrigerador separa la zona de los dependientes de la de los compradores. Es horizontal y cuenta con una enorme ventana a través de la cual es posible elegir la mercancía fresca. El resto se acomoda en estantes que rodean el lugar y, por supuesto, en ganchos de los que cuelgan los más diversos fiambres. Entrar aquí no sólo es una evocación. También se regodean los sentidos y se embota el entendimiento. Habiendo tanto por escoger, resulta difícil no salir cargado de productos, muchos más de los necesarios para la comida. Incluso tras haber pagado me descubro contemplando la posibilidad de comprar más. Salimos para evitar nuevas tentaciones.

Decidimos ir por el camino corto hacia el coche, las bolsas no animan a emprender nuevos paseos. Hablamos de la tienda, de cierta nostalgia y, sin mediar introducciones, cambio de tema.

—¿Cómo está tu madre?

—Ya sabes, anda vuelta loca, como siempre. Entre las conferencias que da y los asuntos de la empresa, apenas tengo tiempo para verla.

Asiento, evitando sonreír. Me da gusto que la influencia de Nora ya no sea un lastre para Emily pese a que puede resultar un poco cruel el que ahora esté al cuidado de sí misma. Bien visto, es un tanto egoísta de mi parte alegrarme porque se haya distanciado de su madre. Sin embargo, mi hija ya es una mujer adulta y a cierta edad es lógico separarse de los padres. Voy pensando en ello cuando suelta la pregunta a rajatabla.

—Mejor cuéntame tú, ¿cómo te va? ¿Ya te conseguiste una novia fija o sigues con tus amoríos a distancia?

Su pregunta me toma por sorpresa. Sigo sin acostumbrarme a tener un diálogo abierto con Emily. Mucho menos cuando a ella le toma tan pocas palabras decirme algo para lo que yo habría dado muchos rodeos.

Le hablo un poco de Rachel, con evasivas. No busco su compasión ni me interesa hablar con Emily como amigos, no puedo. Entonces le digo que las cosas están bien, que me encontraré con ella dentro de unos días. Es mejor que crea que sólo la veo a ella. Por eso callo todo lo referente a mis otras relaciones. No quiero que piense que su padre es de los que tiene un amor en cada puerto. Para evitar su insistencia, le reviro:

—Y a Antonia, ¿dónde la conociste?

—Es encantadora, ¿verdad? Si ya hasta vi cómo te le quedas viendo. Tú crees que con gafas oscuras no se ve la dirección de la mirada pero te equivocas, las dos sabemos que te la comes con los ojos. Pero es demasiado joven para ti, ¿o no? Además, viene conmigo y tu obligación es ser un buen padre y un mejor anfitrión. Quien te viera diría que eres todo un seductor —concluye soltando una carcajada.

Por suerte llegamos a la casa, así no tengo que responderle ni buscar justificarme. Me preocupa un poco que se hayan dado cuenta, es algo que no había considerado. Hasta me he sentido como un adolescente pillado en falta. Como ésos a los que descubrí mirando a Emily, con la diferencia de que sus hormonas los justifican. Pero mirar a Antonia mientras está tendida es algo que no puedo evitar. La belleza me atrapa, me atrapan sus piernas, su abdomen musculoso, la línea que lo divide todo a lo largo como una insinuación, su cuerpo perlado de sudor. A la fecha, cuando miro a una mujer que me gusta en un anuncio publicitario, giro la revista con toda la candidez de mundo para buscar un nuevo ángulo que me permita ver más allá de lo que la fotografía me brinda. Vivo la condena del voyeur, del que no puede sino desear tener más de quien se ofrece a mi contemplación.

Dejamos las viandas sobre la barra de la cocina. Emily me besa antes de concluir:

—No es cierto lo que dicen, pa, a muchas mujeres nos gusta que nos vean. Sobre todo, si lo hacen con el respeto con el que tú lo haces. Así que adelante, por mí no te detengas, puedes seguir mirando a placer.

Después se va a tomar un baño para refrescarse antes de que esté lista la comida. Empiezo a desempacar y me concentro en lo que prepararé para dejar de pensar en ellas.

Desempaco con calma, intentando que el ritual de la cocina me atrape, impidiéndome cualquier clase de distracciones. Sé que Antonia está en la zona de la alberca, que desde aquí no puedo verla pero que no tendría que esforzarme demasiado para hacerlo. Incluso impunemente. Prefiero contenerme. Sobre todo por lo último que me dijo Emily.

Así que ya se ha dado cuenta de la forma en la que miro a su amiga. Me pregunto si Antonia también estará al tanto mientras voy acomodando las viandas en torno a la estufa, en la barra desde donde iniciaré la preparación de los alimentos. ¿Y si fuera así? ¿Y si fuera cierto lo que dijo Emily? ¿Y si también se regodeara con la idea de que un hombre mayor se deleitara viéndola? No sé hasta dónde le podría significar un halago y hasta dónde una agresión. Me queda claro que el escenario le resulta favorable. Para ella debo ser un oteador insistente pero poco agresivo, sería muy improbable que le hiciera daño aunque, por otra parte, siempre resulta incómodo estar a expensas del anfitrión. A fin de cuentas, soy el padre de su amiga...

por decir poco, soy el dueño de todo esto, en alguna medida soy el responsable de su bienestar mientras esté instalada en mi casa.

Cuando las hierbas están sobre la tabla de picar me planteo la posibilidad de ya no mirar a Antonia, hacerme el desentendido, reprimir todos mis impulsos. Sé que no será fácil, que para conseguirlo lo más sencillo es la ausencia, fingir trabajo, estar lejos de donde ellas se tienden a tomar el sol. Sería un poco antinatural y podría molestar un poco a Emily pero no creo tener otra alternativa. Por mucho que las palabras de mi hija carguen algo de verdad, lo menos que uno quiere es ser invadido o importunado por el otro, por el extraño. Es una cuestión de respeto que estoy dispuesto a conceder. Antonia se merece que la deje en paz.

Me resulta por demás reconfortante picar las hierbas. Primero la salvia. Le siguen el tomillo, la menta y la albahaca. Descarto el romero sin pensarlo demasiado. Mondo un par de dientes de ajo, los sofrío junto con la cebolla y me pierdo en la cocina conforme las fragancias se instalan en torno, provocando sensaciones ocultas. Desde joven he disfrutado de preparar alimentos. Sin embargo, no ha sido sino hasta que me mudé a este lugar que me he dado a la tarea de aprender algo de cocina. Quizá fuera porque antes no tenía tiempo o mis ocupaciones agotaban cualquier intento por entretenerme e innovar. Ahora, cuando el día me ofrece más horas de las que puedo gastar haciendo algo productivo, me entretengo mezclando sabores, bajando recetas de Internet, aplicando variantes. Poco a poco me he convertido en un sujeto capaz de distinguir sutilezas entre un platillo y otro. Tanto, que he descubierto que mi estado de ánimo depende mucho de la calidad de la comida. Por eso casi no salgo a restaurantes. Prefiero ser partícipe del ritual completo.

Cada uno de los utensilios de cocina tiene un lugar específico. He equipado el lugar con todo lo necesario para preparar casi cualquier cosa; al menos, cualquiera que valga la pena en este clima tropical. Tomo un sartén sólo para perfumar el aceite con los efluvios del ajo y la cebolla. Escurro el resultado sobre otra plancha. Poco importa lo que haya que lavar. Mañana temprano llegará la señora de la limpieza. Normalmente viene diario pero le he pedido que sólo venga un par de veces mientras Emily esté aquí. No quiero que la acose con el ruido de la aspiradora o con su necesidad de ponerlo todo en orden. Si acaso, lo único que pretendo es que se ocupe de los trastos, de los vasos y la vajilla y que vuelva dentro de tres o cuatro días. Claro que le pagaré su sueldo normal pero no quiero que rompa la atmósfera íntima que imaginaba se crearía con la presencia de Emily.

Ahora que lo pienso, me haría bien retractarme. Cuando le avisé a la señora pensaba en la posibilidad de pasar las tardes platicando con mi hija, dejándole espacio para entretenerse con su acompañante. Ahora busco distracciones, formas de romper cualquier amago de intimidad flotando en el ambiente. Pero es muy tarde para dar marcha atrás, me digo al acomodar las vieiras sobre la plancha; me dejo fascinar por su bisbiseo. Tomo otra sartén para los camarones. Mientras el bisbiseo aromático salta de las parrillas, preparo el aliño de la ensalada. Justo entonces aparece Antonia. Trae *Bajo la sombra blanca del abedul* entre las manos.

Mi cocina es de las que tiene apenas una barra separándola del comedor. Una barra que hace las veces de mesa. Del otro lado hay un par de bancos. Antonia se sienta en uno de ellos. Trae el pelo húmedo, a medio secar. Las puntas aún están pegadas, haciendo que el cabello se le separe en grupos amalgamados. Observo cómo una gota tardía le cae sobre los hombros provocándole un estremecimiento de frío. Volteo las vieiras en el estricto sentido de las manecillas del reloj. Es por una cuestión de orden, para que todas se cocinen lo mismo. Alzo la vista para ver cómo la piel se le enchina por el cambio de temperatura. Está vestida apenas con la parte superior del bikini y un short de la misma tela que las toallas. Se notan los efectos del sol sobre los hombros, la cara y el abdomen. Por desgracia, no puedo ver sus piernas desde mi sitio al otro lado de la barra. Pero estoy seguro de que el enrojecimiento también está presente en ellas aunque no sé si también las pecas que ya se muestran en la zona de su escote, en sus pómulos.

—Huele bien —comenta regalándome una sonrisa.

Me pide que le explique lo que preparo. Conforme lo hago, su interés se concentra en los sartenes, en la plancha de donde saco la primera ronda de vieiras y coloco otra más.

—Sé que los chefs más prestigiados recomiendan dar sólo una vuelta a todo aquello que se cocine en la plancha. A fuerza de hacer pruebas, he llegado a la conclusión de que es mejor dar varias. Una vez sellado el exterior del corte, se garantiza un mejor cocimiento del interior si se le rota de continuo. Sobre todo, queda más jugoso el interior y crujiente por fuera —le explico mientras ella se incorpora para asomarse. Más que sentada, Antonia ya se ha hincado sobre el banco, apoyándose con los codos sobre la barra y dejando su cara a unos cuantos centímetros de las parrillas.

—Vaya, que eres todo un estuche de monerías. Tal como me lo dijo Emily —comenta y su voz se pierde en medio del estallido sonoro de los calamares sobre el aceite.

Se espanta un poco y hasta recula pero pronto se da cuenta de que, desde donde está, puede mirar sin que la alcancen las chispas de aceite hirviendo. Tenerla tan cerca me turba un poco. Primero, porque desde determinado ángulo soy capaz de ver la parte superior de sus piernas, el contorno de su culo atrapado por la toalla del short. Segundo, porque me regala una visión nada despreciable de sus pechos. Son pequeños, es cierto, pero la gravedad los agranda, los vuelve apetecibles, moteados como están por unas pecas que luchan por resaltar sobre el enrojecimiento. Me distraigo con su ligero bamboleo cada vez que Antonia se reacomoda sobre la barra, su postura no debe ser nada cómoda.

Por un momento no puedo separar la vista de su top, imagino el tacto de sus pechos, la tersura que debe tener su piel. Estoy por completo absorto cuando se incorpora para estirarse. Sigue hincada en el banco cuando se echa hacia atrás, alza los brazos y bosteza. Es un movimiento casi felino que me saca de mi estupor. Temo que vaya a perder el equilibrio, a caer del banco, o que éste resbale por el cambio de la inclinación. Por suerte no es así. Durante varios segundos me regala la imagen de su abdomen contraído, de su cintura exacta. Cada uno de sus músculos me llama con un alarde estético. Incluso algo me impulsa a extender el brazo. No hay nada más importante que tocar la zona en torno a su ombligo. Nada me lo impide.

Deseo enjugar el rocío de sudor que perla su abdomen, descubrir si bajo esa capa de humedad la piel es tan tersa como parece, si los músculos son tan firmes como lo presumen las líneas precisas que corren por sus costados.

Cuando mi mano está a apenas unos centímetros de su vientre, Antonia se relaja. Sus ojos se topan con mi extremidad que consigue explicarse a sí misma al tomar *Bajo la sombra blanca del abedul*. Ella rehace la postura anterior y me vuelve a regalar una sonrisa. Estoy seguro de que hay cierto matiz irónico en ella. Es como si la comisura izquierda de su labio desentonara con el resto del movimiento facial, como si me estuviera diciendo que me ha descubierto en falta pero que le divierte.

—Veo que has avanzado bastante —concluyo tras hojear el libro. El separador ha sobrepasado el primer centenar de páginas, quizá se acerque a las doscientas.

—La verdad es que casi no he podido dejar de leerlo, pero seguro ya sabes que es bastante bueno como te lo habrá dicho medio mundo.

—No, no —miento, incitándola a continuar.

Para ser sincero, su comentario no es nada original. Una y otra vez he escuchado a lectores diciéndome que han leído *Bajo la sombra blanca del abedul* de un tirón. Han sido tantos los comentarios, que suelo evadirlos con una sonrisa indulgente o un leve asentimiento. Justo lo contrario con Antonia. Si hasta me parece interesante todo lo que empieza a decir acerca de mi novela.

Tras el planteamiento inicial del libro, que le contó Emily a Antonia apenas saliendo del aeropuerto, la novela se divide en tres grandes bloques. Si bien es cierto que el del presente de la novela aparece cada tanto para evitar el olvido del lector, es fácil diferenciar cada una de las partes. Con la hojeada que le di al libro de Antonia pude darme cuenta de que estaba por terminar la primera de ellas.

Ahí se narra la juventud de Ogashi. Educado dentro de los más estrictos preceptos del Japón antiguo, era un muchacho abatido por toda la tradición oriental. Su familia, una de las más importantes del pequeño pueblo en que vivían, participaba en las actividades de la comunidad y la voz de su padre resonaba con fuerza en las reuniones de los concejales. En pocas palabras, todo el entorno que rodeó los primeros años de la vida de Ogashi no era sino un lugar común sacado de un caudaloso río de referentes prestados. Desde las películas hasta las más complejas novelas me habían adiestrado para poder recrear ese ambiente tan indisoluble de nuestra idea de Japón. Al menos así había pasado para mis contemporáneos. Por algún extraño motivo, la idea del Oriente abarcaba a todos los países de la zona, amalgamándolos en uno solo. Nos hicieron creer que sus mayores diferencias estribaban en la selección de artes marciales de cada uno de sus territorios. Más allá de ello, eran casi lo mismo.

Sobre todo, en el particular asunto del honor. Mis amigos de infancia y juventud nos devanábamos la cabeza intentando entender cómo era posible que su sentido de la dignidad superara a su pasión por la vida. Desde nuestra perspectiva, siempre resultaría mejor huir que sacrificarse, ni pensar en el suicidio ritual como una forma de escape. Pese a ello, nos dejábamos encantar por los movimientos del karate o del kung fu; los combates en que el héroe se enfrentaba a decenas de adversarios nos sorprendían más por la ligereza de la técnica que por sus posibilidades verdaderas. Debo confesar que, durante años, creí que en verdad existían personas capaces de lograr los prodigios que la pantalla nos mostraba. Si bien ahora sé que no, que el cine, la literatura y la televisión nos engañaron, lo importante fue que resultaron útiles a la hora de contar los primeros años en la vida de Ogashi.

Apenas tuve que investigar un poco para volver verosímil el proceso de educación que muchas generaciones de niños japoneses recibieron durante varios siglos. Desafortunadamente, eso no es sólo parte del imaginario colectivo. Desde pequeños se les inculca el honor con base en una postura que linda en el fanatismo. Un fanatismo que fue mermando la voluntad de Ogashi.

Hay una escena en *Bajo la sombra blanca del abedul* en la que, un buen día, se descubre sin mayor deseo que seguir los pasos de su padre. En una suerte de epifanía, acaba revelándose que no es otro sino él, a quien nada le interesa, quien está sometido a la voluntad paterna que es la voluntad del destino y que, para colmo, no le molesta. Este capítulo es la respuesta a un desacato de las normas familiares. Sucede que, ya adolescente, Ogashi se emborracha con un grupo de amigos en una suerte de cantina tradicional. A la salida del lugar, se encuentran a un par de jovencitas algo menores que ellos. Envalentonados por el alcohol y la complicidad, empiezan a seguirlas mientras les gritan sus deseos. Uno de ellos se adelanta y, sin que nadie lo espere, besa a Okami que, humillada, se echa a correr hasta su casa seguida por su amiga. Todos ríen.

Sobra decir que esta escena la escribí haciendo uso de todo el dramatismo de mi pluma. Sin entrar en la perspectiva de los muchachos, intenté crear un efecto cinematográfico. Hablé de las sombras, de los sonidos magnificados y sus ecos. La secuencia se desarrolla con lentitud, casi en cámara lenta. De pronto, sin mediar aviso alguno, entro a la conciencia de las chicas. Revelo sus temores, que no sólo obedecen a la idea de la agresión sino a sus implicaciones. Una de ellas se muestra aterrada por lo que le dirán en casa si alguno de los hombres consigue su objetivo. Okami recibe el beso y se sabe condenada. No podrá superar la deshonra, su familia y ella misma estarán marcadas durante generaciones. Por eso corre, para desechar la idea, no para huir. El mal ya está hecho. La escena termina con la risa de los muchachos. No se han dado cuenta del dolor causado. Para ellos es una simple travesura. Se van en la dirección opuesta cantando su borrachera.

Cuando el padre de Ogashi se entera de lo sucedido le quita la palabra durante meses. Todo diálogo queda suspendido. Si acaso, él se entera de la voluntad paterna gracias a su madre que, un buen día, le revela la gravedad de sus actos. No sólo deshonró el nombre de su propia familia al dejarse vencer por el influjo del alcohol, también lo hizo por aprovechar su fuerza contra dos personas inocentes. Una contradicción que hablaba de sus debilidades y su soberbia al mismo tiempo. Pero eso no era todo. También había deshonrado a Okami y a su familia. Por no defenderla, queda claro, pero también por permitir que alguien mancillara su nombre. Ahora nadie la querría como esposa.

Fue tras esa revelación de su madre que Ogashi llevó a cabo su epifanía. Al poco tiempo, pidió la mano de Okami. No la amaba pero era la única forma de salvar el honor de ambos. Antes de hacerlo, se despidió de Anaka, a quien sí quería pero los sentimientos deben apartarse cuando un bien superior incide en ellos. Ella supo entenderlo e, incluso, se admiró del valor moral de quien ahora se alejaba para siempre.

La familia de Okami aceptó. También el padre de Ogashi, que volvió a hablar con su único hijo. Algunos meses antes de la boda, Japón se sumó a la causa alemana en la Segunda Guerra Mundial. El último capítulo de esa primera parte es la despedida de Ogashi antes de irse con el ejército. Su madre y Okami lloran por su partida. Su mujer apenas ha tenido tiempo de comunicarle su embarazo; ya tiene una razón de peso para no dejarse matar. Su padre lo mira orgulloso, le dice que, si por él fuera, también iría a pelear por su país pero que está seguro de que su hijo será un digno representante de la familia. Ogashi se va con la frente en alto, tiene un cometido que cumplir y no le importa si le cuesta la vida: él se debe a su nombre, al de su padre y, ahora, al de su hijo.

Antonia me comenta algunas cosas acerca de lo mucho que ha conseguido adentrarse en la historia. Antes de leer mi novela, le resultaba difícil acercarse a lo oriental. Todos los conceptos del honor y su forma de ver al mundo le parecían un tanto chocantes.

—Como si fueran una impostura —concluye tras una larga pausa en la que yo la miro con atención.

Duda un poco antes de agregar que quizá sea por mi mirada occidental que ha conseguido involucrarse. Si hasta ha llegado a sentir cierta empatía por Okami y cierto enojo contra el padre de Ogashi. No puedo decidir qué tan cierto es lo que me dice. Me ha pasado en incontables ocasiones que las personas se desviven en halagos sólo para quedar bien, para rescatar una migaja de atención del autor de tal o cual novela. Considero que no es el caso con Antonia aunque tampoco me entusiasma. Creo que es una lectora bastante novata que tiende a exagerar sus emociones. No soy tan inocente como para suponer que mi novela ha cambiado su forma de percibir a una cultura que yo desconozco.

Eso no impide que le preste atención:

—Por momentos hasta siento que puedo ver el paisaje, tus descripciones son… cómo decirlo… ¿exactas?, ¿precisas? No sé, consigues que uno se meta, se adentre —en eso tiene razón. A lo largo de los años la crítica ha coincidido en ese particular. Al parecer, tengo una capacidad probada para entretenerme en los detalles, sobre todo cuando escribo. Me siento cómodo cuando hablo acerca del entorno, del ambiente que se respira, de las pequeñas alteraciones que van configurando el paisaje. Al describir por primera vez la casa de Ogashi utilicé casi veinte cuartillas, por ejemplo.

Lo que me dice Antonia no es nada nuevo pero, por extraño que parezca, me pone de buenas. Durante mis épocas de mayor agitación, cuando llegaba a tener varias entrevistas y presentaciones por semana, cuando mi pluma se agotaba a fuerza de firmar libros para rostros inconexos, me convencí de que un estímulo repetido terminaba por perder su efecto. Me había convertido en un autómata que sonreía a diestra y siniestra frente a los halagos pero no les hacía caso. Creo que, por ese entonces, me interesaban más las personas que no llegaban hasta mí para hablar de mi obra sino de cualquier otra banalidad.

Con Antonia es diferente. Mientras habla vuelvo a sentir el entusiasmo de los primeros tiempos. Ha conseguido que me pierda en la resonancia de su voz, en el ligero tic de sus labios cuando pronuncia sílabas anegadas de consonantes labiales. Por un momento el embrujo de sus palabras hace que pierda la concentración. Tal vez los camarones terminen demasiado secos. Los riego con un chorro de vino para intentar rescatarlos. Cuando vuelvo la vista, los ojos de Antonia extienden su sonrisa hasta el infinito. El aroma de la cocción del vino, sus labios formando esa pequeña mueca y ella contemplándome, bastan para perderme.

La crispación vuelve junto con Emily que nos encuentra absortos.

—Deberían ver cómo se miran —dice mi hija con malicia. Viste una falda larga, con vuelos, y una playera de tirantes. Calza unas sandalias hechas de tiras de piel que rechinan un poco contra el piso de barro. El pelo lo lleva húmedo y se le agita a cada paso.

Salimos de nuestro estupor, incómodos. No podría decir quién de los dos más pero Antonia es la primera en reaccionar:

—Tu papá me estaba hablando de su novela —acierta a pronunciar al tiempo que la blande con una mano, como para dejar constancia de que es cierto. Una actitud similar a la que tendría un niño que ha sido pillado en falta.

Emily parece creerlo aunque no pierde la oportunidad de guiñarme un ojo cuando Antonia le da la espalda para dirigirse a la mesa. Entre las dos ponen los cubiertos mientras sirvo los platos. Intento no distraerme de mi tarea. No quiero que mi hija me descubra contemplando la semidesnudez de su amiga. Aliño la ensalada y les sirvo. Se han sentado una frente a la otra, dejándome el lugar en medio de ellas. Pronto sólo se habla de anécdotas del pasado.

—No entiendo por qué te portaste así en tu primera visita —acusa Antonia a Emily cuando ya hemos terminado de comer, cuando los efluvios del alcohol templan la tarde que se filtra a través de los vasos, que se cuela en las hendiduras de la atmósfera.

Estamos instalados en la terraza. Es curioso, de no ser por Antonia, nunca habría pensado en este lugar como una sala, pero ella nos ha hecho ver, en cuanto nos deslizamos sobre los sillones de mimbre, que no puede ser considerada una terraza en forma toda vez que tiene techo. "Pero está al aire libre", le contesté pensando en las columnas que sostienen el plano inclinado de concreto. Hasta podría considerarse que el cuarto no está terminado, suspiré asintiendo. Tres cuartas partes, en efecto, están en una suerte de intemperie lateral que termina con la pared del comedor. El piso es propio de exteriores, de arcilla recocida para absorber la humedad de los que llegan anegados de la alberca. Si acaso, unos arcos en la parte posterior la integran al interior de la casa, dejando su esencia contenida en la incertidumbre de las definiciones. El reclamo de Antonia había sido cordial por lo que, pronto, estuvimos instalados en torno a una mesilla donde dejamos reposar el sudor de los cocteles. Por desgracia, Antonia se había cambiado antes: un largo vestido estampado cubría su cuerpo, haciéndola ver más adulta y más deseable a un tiempo.

—Fue por su culpa —contesta Emily mientras mastica un hielo. A todos nos queda claro que el destinatario de su acusación soy yo mismo así que no tardo en defenderme.

—Si te refieres a que me separé de Nora, no creo ser el único culpable —a veces, para librarse de la culpa es mejor imputársela a otro.

Emily ha tomado un nuevo hielo, esta vez más grande. Lucha por sostenerlo con los dedos, evitando que se resbale. El mundo adquiere matices irreales al sintetizarse en el cubo. Se lo acerca a un ojo, su verde contundencia se multiplica, espesándose. Luego lo deja discurrir a lo largo de su cuello. La piel se eriza, se contrae. Una gota se desliza por su escote. Lo pone entre sus labios, se deleita con el contraste de temperaturas, lo sostiene con sus dientes. Sonríe antes de llevárselo a la boca.

—Si no es porque te separaras de mamá —alcanza a decir con la voz entrecortada. El hielo no le permite hablar con claridad.

Antonia se ríe impetuosa, contagia a Emily que tiene que escupir el hielo para no atragantarse. Se lo lanza sin intención ni puntería. Una brisa tibia suspende la tarde sobre nosotros. Ellas se miran, apartándose de todo. Es el crocitar de las aves lo que las trae de vuelta. Se notan un tanto incómodas, tardan en recuperarse. Toman aire. Para darles espacio, pierdo la vista en las vigas del techo, en sus vetas, en su color claro, en la forma en que se apoyan sobre las trabes.

Emily continúa. Me sorprendo un poco: pensaba que ya no lo haría.

—… ése era asunto suyo. Aunque fuera su hija no tenía por qué meterme. En ese entonces ya era capaz de entender que, cuando algo no funciona, no funciona y ya está. No me iba a tirar al drama sólo por ser hija de divorciados. Casi todos mis amigos de ese entonces lo eran.

Se incorpora un poco. Ha estado sentada sobre sus piernas, ligeramente de lado. Las estira de golpe, baja los pies y tantea el suelo en busca de sus sandalias. Se las calza. Toma su vaso vacío antes de levantarse. Hace lo mismo con los nuestros. Los restos del preparado se han derretido en la licuadora. Camina hacia la cocina exagerando el contoneo. Hasta podría decirse que es un baile. Los vuelos de su falda se agitan con ritmo. Su cadera se emancipa en la cadencia más oportuna. Me pongo un tanto celoso de saber que no soy el depositario de ese arrebato sensual; si acaso un intruso que se interpone en el coqueteo. Considero levantarme pero un dulce mareo me detiene. Debo estar un poco ebrio, hemos bebido bastante, concluyo antes de renunciar a mis intentos.

Emily se pierde en el comedor. Volteo a ver a Antonia sólo para encontrarme con que se ha arremangado el vestido para dejar sus muslos al descubierto. Tardo una eternidad en separar la mirada de sus piernas. Cuando lo consigo, me topo con su sonrisa a la que respondo con una mueca torpe. Ella aprovecha para dejar al descubierto un par de centímetros más de su piel enrojecida. Para evitar perderme en ellos me dejo distraer por el rasposo ruido de las sandalias de Emily al restregarse contra el barro. Llega con los vasos vacíos, una caja de jugo, la botella de vodka. Sirve con calma, sin proporción, haciendo alarde de un equilibrio con el que ya no cuenta del todo. Los tres quedamos absortos en el proceso. Distribuye las bebidas con ceremonia y propone un brindis. Entrechocamos los vasos antes de que se deje caer sobre el sillón donde Antonia la espera.

—El asunto es que yo no quería vivir con ella sino contigo —concluye antes de dar un trago.

Alza su bebida con la mano derecha, con la otra empieza a acariciar la pierna de su amiga. Bebo con avidez. La visión de la caricia se descompone en mil fragmentos antes de borrarse por completo.

Mi despertar es una masa chiclosa que mastico con lentitud. Conforme mi lengua se rebaña con el sabor agrio de su inmensidad, voy cobrando conciencia. Hace años que no tomaba tanto. Al menos no lo suficiente como para despertar sin saber cómo he llegado a mi cama. En cuanto me siento en el borde, la cabeza me punza; palpitan los excesos. Me quedo así, sin moverme, respirando profundamente, con las palmas apoyadas sobre la colcha. Percibo con nitidez su tacto ligero, los pliegues que se forman por medio de hilos invisibles, el patrón en el que nadie repara pero que hace las veces de esqueleto, impidiendo que la borra se aglutine en un extremo.

Estiro un brazo para encender la luz. La lámpara del buró crea más sombras de las que disuelve. Un ligero resplandor se cuela entre las persianas, apenas los vestigios del día. Me levanto: la cabeza vuelve a reclamar el esfuerzo. Llego hasta el apagador y giro la perilla; sólo un poco, apenas para desvanecer el misterio de la oscuridad. Cuando me dirijo al baño creo escuchar una risa apagada perdiéndose en los entresijos de la penumbra. El tacto del lavabo es límpido, frío. Considero recostar la cabeza sobre el mármol, las sienes que palpitan. Pero agacharme me marea. Deslizo el espejo antes de encender la luz, aquí no cuento con la sutileza del regulador de intensidad y no deseo toparme con mi imagen plena.

No lo consigo. Los focos dan cuenta de la barba incipiente, los ojos cargados de venas, la maraña del cabello y un aliento tan acre como mi respuesta. Alcanzo el frasco con aspirinas. Lucho un poco contra la tapa de seguridad hasta que consigo vencer su resistencia. Tomo un par con la mano izquierda. Justo ahora caigo en la cuenta de que no tengo vaso. Levanto la llave del grifo, meto las dos pastillas en mi boca. Tienen sabor a calcio, a gis; se aglutinan en mi lengua, se pegan al paladar. Me apresuro a beber directo del chorro pese al mareo. El sabor salado se borra con el agua. Al final me queda un regusto cobrizo con ciertos matices terrosos y la sensación en la garganta de que las pastillas no terminaron de pasar. Antes de cerrar la llave me enjuago la cara. Dejo que el chorro me pegue en el cuello. Casi he metido toda la cabeza en el lavabo. Me quedo así varios

minutos hasta que siento los espasmos muscu-
lares por el frío. Cierro la llave y me seco con
una toalla.

Siento cómo la lucidez va asentándose
paulatina, sin prisas, estacionada en el ensalmo
de una calma plácida, suave.

Escucho voces apagadas más allá de la
ventana. Mi habitación ocupa el piso superior
de los tres que tiene la casa; eso sin considerar
el nivel de la playa. El ventanal frente a la cama
deja ver la inmensidad del mar que se inicia en
una terraza equipada con jacuzzi y una vista
que suelo desperdiciar: la misma de mi estudio
ubicado justo abajo. Las voces vienen del lado
de la piscina. Me acerco hasta la ventana para
asomarme. Cuando alcanzo la correa que abate
las persianas, una nueva crispación me cimbra.
Nunca he sido de los que cree en esa clase de
avisos pero detengo el movimiento, lo cambio
por uno más breve, casi diría que íntimo. Respiro profundo antes de hacer una rendija entre
un par de láminas de madera. Desde ahí observo a Emily y a Antonia acodadas en la baranda
que limita la zona de la alberca.

Aunque ambas miran hacia afuera, hacia
la curva de la bahía, permanezco en mi atalaya,
inmóvil. Encuentro cierta delectación en el fisgoneo. Su plática es sencilla, pletórica de silencios. Parecen absortas con el atardecer. Acomodo
mi peso sobre una pierna, acerco con la otra un
taburete y me siento. Mi perspectiva apenas
cambia. Cuando Emily enciende un cigarro, el
antojo se apodera de mis pulsiones. Debo bajar

a pedirle uno, pienso, pero un tierno letargo me detiene. Emily parece sorprendida cuando Antonia le pide una fumada. Estoy seguro de que sus labios deletrean con precisión un "pero si tú no fumas". Antonia se encoge de hombros. Ahora están una frente a la otra, ofreciéndome sus perfiles. Siguen vestidas como en la tarde, el viento revuelve sus cabelleras y disipa el humo.

Emily le pasa el cigarro. Antonia lo fuma sin saber pero tampoco tose, es más un jadeo que una calada. Emily sonríe, le pasa la mano por la mejilla antes de tomarlo de vuelta. Antonia ladea la cara para retener la caricia. Algo dice que no puedo entender. Sus facciones se pierden cuando el sol termina por ocultarse tras el horizonte marino. Apenas quedan sus siluetas recortadas contra la oscuridad del mar. Emily deja caer el cigarro, lo pisa con su sandalia. Lanza la última bocanada hacia arriba, levantando la cara, y deja ver la línea armoniosa que forma su cabeza con el cuello. Antonia se le acerca hasta decirle algo al oído. Ambas ríen. Se escucha su jolgorio en medio del canto de los mirlos despidiendo al día.

De un momento a otro, sus sombras se funden en una sola.

Un instante después, percibo el destello inconfundible de una mirada. Me está viendo. Emily no deja de buscarme mientras besa a Antonia. Incluso se reacomoda para quedar frente a mí. Me quedo estático, sin poder reaccionar. Es como si una parte de mí luchara por alejarse de la ventana o, al menos, por pasar inadvertida.

No quiero que Emily crea que las espío. No obstante, en mi fuero interno intuyo que ya lo sabe, que incluso ese beso se prolonga porque quiere mostrármelo en una suerte de tributo que no alcanzo a entender.

A fuerza de repensarlo consigo olvidar que es Emily quien protagonizara ese beso pintado a contraluz.

He pasado la noche en duermevela. A ratos la resaca empieza a hacer estragos y limita mis movimientos, me sume en un marasmo lento y contagioso que termina por arrebatarme lo poco que me resta de conciencia. Pero tras una breve ensoñación, me levanta un estertor casi compulsivo. Me incorporo de golpe y vuelve a mí la imagen que es apenas una silueta perdida ante la inmensidad del mar. Me siento cansado pero no lo suficiente como para no recordar esa silueta una y otra vez. Se repite detrás de mis párpados, al amparo de un recuerdo que voy modificando paulatinamente.

Primero le agrego un poco de luz para poder ser testigo de las pequeñas reacciones. Una supuesta mano se posa en una cintura en el instante en que se produce el beso. Ambas han cerrado los ojos. Es mejor así que torturarme con la idea de Emily mirándome mientras se entrega a Antonia. Si no lo hace, si deja caer los párpados, entonces ya no hay una provocación, tampoco se está exhibiendo. Apenas quedan dos mujeres que inician un escarceo sensual, en un mundo por completo apartado, donde nadie las mira.

Nadie excepto yo, por supuesto.

Y para que todo resulte bien, para que ambas cierren los ojos y se añada luz a la escena y una mano se pose sobre una cintura necesito deshacerme de la presencia de Emily. Aunque al principio pensé que era para protegerla de la idea que puedo formarme yo mismo sobre ella, he descubierto que son otras las causas para sustituirla. Descansan en la imagen misma, en las ligeras alteraciones que va acumulando mi memoria: son bellas, no puedo apartarlas de mi vista. Disfruto contemplándolas. Más allá del acto en que participan, la sensualidad radica en que se me ofrecen. Verlas me excita pero, para que eso suceda, preciso que ninguna sea mi hija, que no existan vínculos emocionales, que sea un recorte de revista o una página de Internet y no Emily.

Por eso es que la separo. Poco importa qué pueda yo pensar de sus preferencias sexuales aunque sus ojos abiertos presumiéndome su conquista le han dado un nuevo valor. Lo relevante es el pálpito que me estremece cuando las recuerdo juntas. A lo largo de mi vida he sido un asiduo consumidor de pornografía. Me encanta. Pero a fuerza de verla sin censura, de pasar las páginas de cada nueva revista, de dar click en la siguiente foto, uno termina descubriendo los entreveros de las repeticiones. Tal vez sea porque me he cansado de tanta desnudez impresa o porque me estoy haciendo viejo pero el beso que se han dado me ha excitado mucho más que la colección entera de mis favoritas, las que almaceno en una carpeta especial en mi disco duro.

Creo que es por el toque de realidad que tuvo ese beso que, en otras circunstancias, hasta podría haber sido considerado como casto, como apenas un roce que presagia pero que no es, en sí mismo, conclusión. Las imágenes son ajenas, impersonales pero, sobre todo, artificiosas, hechas para seducir a partir del engaño. Emily y Antonia son reales, tangibles y, ¿por qué no?, también hermosas. El problema es que, por más que quiero, no puedo evitar reconocer a mi hija en la figura. Por eso lucho para que llegue el sueño, para alejar mi mano de la entrepierna. Seguir así sería demasiado sórdido, incluso para alguno de mis personajes.

Lo primero es un grifo a la distancia. El agua corre, es inconfundible su sonido cuando llena una cubeta. Las notas se van alterando conforme el nivel del líquido se eleva: lo que era un golpeteo contra sus paredes se convierte en un flujo que se integra en la misma masa acuosa. Es seguido por una serie de preparativos. Visualizo el palo de una escoba, la jerga que se hunde, los pasos asépticos de Cristina, el grifo que se cierra, las gotas últimas que se desprenden de la embocadura metálica. Es una nueva rutina a la que me he acostumbrado: los ruidos que anteceden la limpieza de la casa. Su murmullo estrepitoso debería permitirme dormir un poco más.

Me incorporo de golpe. Siento el ligero mareo antes de que el dolor de cabeza vuelva. Sigo vestido como anoche. En el baño tomo otras dos aspirinas y salgo para evitar que Cristina entre al cuarto de Emily. No quisiera que las encontrara tendidas, en un abrazo delator o haciendo gala de sus desnudeces matinales. Mi asistenta doméstica es de las que se escandalizan. Alguna vez me hizo un reclamo bastante fuerte porque encontró mis revistas. Al principio pensé que era broma pero pronto descubrí que no; su ultimátum era claro: o me deshacía de ellas o se iba. Tuve que ceder pese a lo ridículo de sus peticiones. Desde entonces, la calma se gesta en un clóset bajo llave al que ella no se acerca.

Por eso me apresuro. No quiero que nuestra relación laboral se vea interrumpida por un afán de limpieza. No habría palabras para calmar sus limitaciones si encuentra a dos mujeres entrepiernadas en la recámara de huéspedes. Salgo para encontrármela en la cocina. Apenas y me saluda pero disipa mis temores de inmediato.

—Acaba de salir una muchacha del cuarto, se fue a la playa —me lo comenta juzgándome. Por un momento, sus palabras me hacen sentir perverso, casi maligno. El alivio que muestro no contribuye a calmarla. Cristina pone los brazos en jarras y espera a que le conteste.

—Es una amiga de Emily. Ya te había dicho que vendría esta semana —me tardo en decírselo, recalcando cada sílaba, molesto como estoy por la tiranía a la que pretende someterme.

En cuanto escucha que mi hija está aquí, se disipan todas sus dudas. Para ella es de lo más normal que se hospeden juntas, no hay malicia en sus percepciones salvo en un primer momento, en cuanto se complica la situación prefiere creer que todo está bien. Hasta me ofrece un café que rechazo no sin antes preguntarle qué hace aquí, ¿acaso no le dije que tendría varios días libres? Me contesta afirmando pero confundida. Creía que eso iba a ser la semana próxima. Se entristece cuando cae en la cuenta de que ha desaprovechado una oportunidad para no atenderme, para olvidarse de sus obligaciones. Le digo que no se preocupe, que se tome un día extra de la próxima semana y que no venga durante los siguientes tres o cuatro. Ella sonríe de inmediato, insiste con lo del café cuando me encamino hacia la escalera.

Tal vez no sea mala idea dar un paseo por la playa.

La arena se siente húmeda a varios metros de donde rompen las olas. En cuanto llego hasta el borde del agua localizo a Antonia, corre hacia el horizonte, siguiendo la curva de la playa. Se aleja hasta perderse en lontananza. Sin embargo, no tardo en toparme con sus huellas. Si les hago caso, debo concluir que es el primero de sus recorridos. Sus pisadas tienen la cadencia del trote largo que el oleaje no ha alcanzado a tragarse. Me doy cuenta de que, otra vez, corre muy cerca de la línea del agua. Tal vez sea porque la superficie es más dura o porque le gusta la sensación del líquido salpicando su recorrido.

Me gusta la idea de las huellas. Son el vestigio de una presencia, de algo que ha sucedido. Más allá de cualquier pensamiento relacionado con lo histórico, con la arqueología, las huellas sirven para recordar que todo lo que hacemos tiene consecuencias. La persona se ha ido, el acto ha terminado pero algo queda. Algo mucho más complejo y permanente que un pie grabado sobre la arena. Algo similar a la imagen impresa en mi memoria. Emily y Antonia se besaron anoche, quizá algo más. Estaban en total libertad de hacer lo que les viniera en gana y, sin embargo, ese escorzo sensual bastó para atenuar mi borrachera, para desearme en otra circunstancia, para dudar.

Pero no sólo porque una de las participantes fuera mi hija, sino por lo que me dijo cuando fuimos a hacer las compras por la mañana. Sus palabras se entreveran con sus siluetas a contraluz. "No es cierto lo que dicen, pa, a muchas mujeres nos gusta que se nos queden viendo". Me descubro impotente, incapaz de decodificar el mensaje cifrado que me hizo llegar en dos partes.

¿Se refería a ella cuando me dijo que a las mujeres les agradan los mirones o sólo a Antonia? Quizá a las dos. ¿Fue por eso que se besaron frente a mi ventana? Visto en retrospectiva, el beso llegó después de que prendiera la luz, de que me asomara por las persianas. Claro que nada me garantiza que no lo hayan hecho antes pero la situación estaba armada. Llegué al final de una plática pausada, al extinguirse la colilla. Además, ella me estaba mirando. No cerró los ojos. Concentró su destello en mi ventana, no me queda duda, con la seguridad de que yo la estaba viendo pero a sabiendas de que mi borrachera había terminado por noquearme.

Es cuando tienen sentido sus palabras. No eran la concesión de una hija a su padre decrépito para que se divierta viendo a su amiga. Al contrario, eran una forma de provocarme, de dejar huella.

He caminado en sentido contrario al de Antonia. Por este lado la arena está más seca, más fina, se cuela en las sandalias. Me detengo para enjuagarme los pies aunque sé que es inútil, que de inmediato volverán a llenarse de gránulos. Por eso decido continuar descalzo. Me doy la vuelta para descubrir que Antonia no sólo viene de regreso sino que ya está bastante cerca. La contemplo en el apogeo de su plasticidad. Corre como si no le costara trabajo, apenas tocan sus pies la superficie. Me sonríe antes de que nos encontremos. Hace una seña que entiendo de inmediato: quiere completar la vuelta. Asiento y la dejo ir sin moverme de donde estoy. Los estragos del alcohol se disipan de manera casi tangible. Sigo su recorrido. Sobre todo, para mirarla de espaldas. La armonía se concreta. De pronto siento la imperiosa necesidad de correr tras ella, abrazarla, tirarla sobre la arena para sentir su cuerpo firme mientras las olas se suman a la caricia.

¿Cómo se sentirá repasar los dedos por el contorno de sus muslos apenas cubiertos por la tela elástica? ¿Tendrá ésta la suave consistencia de las medias o el tenue rechazo de lo plástico? ¿A qué sabrá el ligero sudor que se desliza por sus hombros, que le perla la espalda dotándola de una brillantez tirante? ¿Cómo se verá su cuerpo húmedo espolvoreado por la arena una vez que la haya desnudado…?

Doy la vuelta para interrumpir el flujo de mi fantasía. Volverme consciente de su patetismo me entristece. No sé qué me hizo pensar que podría conseguirlo. No sólo alcanzarla y seducirla sino ser correspondido. En mi aliento se congregan los estragos de la fiesta, por no hablar de que soy el padre de su amiga o de su amante, por ignorar mi atavío descuidado, un tanto caduco. Llego a la casa, volteo para constatar que le falta un buen minuto a Antonia para alcanzarme. Aprovecho para hacerme de un cigarro antes de bajar a su encuentro. Llegamos al pie de la escalera casi al mismo tiempo. Ella se inclina hacia adelante, poniendo las manos sobre las rodillas mientras recupera el aliento, parece que hoy corrió más rápido. La miro por encima de su hombro para constatar en las huellas que ha dejado la ruta exacta que la trajo a encontrarse conmigo.

—Debes pensar que es una lástima que hoy no me haya atacado un aguamala. Y mira que lo intenté corriendo casi sobre las olas.

Hace algunos meses leí, en una revista médica, que el cerebro humano no tiene forma de distinguir entre el triunfo y la derrota si ésta estuvo muy cerca de no ser tal. Una de las pruebas que llevó a los científicos a concluir esto tenía que ver con un casino o una sala de apuestas. Ahí, se les puso a varios apostadores un dispositivo capaz de medir la respuesta cerebral ante el triunfo y la pérdida. Se corroboró algo que ya se sabía: que las zonas "coloreadas" en el cerebro eran muy diferentes. Aunque en ambos casos se detectaban "zonas de emoción" mientras la ruleta giraba, por ejemplo. Cuando el resultado se daba las diferencias entre ambas eran muy claras.

Salvo que se hubiera perdido por poco. Si, en un momento dado, la canica caía en una casilla adyacente a la que habría hecho ganar al sujeto, entonces la respuesta cerebral era idéntica a la que se habría formado de haber sido ganador. Lo mismo sucedía con las máquinas tragamonedas o con el Blackjack, era preferible pasarse por un número que quedar a tres o cuatro puntos de conseguir los veintiuno.

Los investigadores estaban muy sorprendidos ante el descubrimiento porque, en términos habituales, una derrota por los pelos suele ser más dolorosa para el ánimo que una contundente; al menos en lo que respecta a los juegos de azar. Imaginarse a un número de distancia del premio mayor de la lotería es mucho más frustrante que ser uno de los tantos que pierden sin acercarse siquiera. Pero no para el cerebro. Al parecer tiene un mecanismo interno que tiende a las adicciones. Si la respuesta cuando se estuvo cerca es idéntica a la del triunfo, entonces puede entenderse a la perfección que la gente siga apostando. Al margen del beneficio económico, la retribución a nivel neuronal ya se ha conseguido. Así, las probabilidades de ganar se incrementan en una proporción considerable.

La frase que dijo Antonia antes de subir corriendo las escaleras fue como una de esas derrotas. Por una parte, me hizo saber que no tenía posibilidades. Dejó muy en claro que, si yo tenía la intención de volver a sobar su tobillo, de acariciar un poco su pierna, no habría forma de conseguirlo. Yo ni siquiera lo había pensado cuando bajé a la playa. Quizá por eso no activé el tono de reproche implícito en su sentencia. Es algo que, me temo, está velado por lo que ocurrió anoche, durante el lapso anterior a mi pérdida de conciencia. Algo que no puedo recordar.

Pero tampoco importa demasiado. Lo que sigue reverberando en mis oídos es la parte final de la frase, cuando dice que lo intentó al correr sobre las olas o algo parecido. El asunto es el verbo. ¿Por qué tendría Antonia que sufrir de nuevo el percance? ¿Tan sólo para que yo tuviera oportunidad de volver a sentir el tacto de su piel? No soy tan ingenuo como para creerlo. Sin embargo, sus palabras que me acercan a una victoria en realidad significan una doble derrota: la del reproche y la de la negación. Racionalmente me queda claro: es tiempo de alejarme. No hay por qué meterse en problemas, apenas estarán unos cuantos días más y no tiene caso fracturar mi relación con Emily sólo porque a su amiga le divierte provocarme. Es más, debería averiguar qué fue lo que pasó anoche y, en dado caso, ofrecer disculpas y hacer mutis.

Eso, si todo fuera un asunto de racionalidad. Pero ahora resulta que el propio cerebro se comporta como le viene en gana, generando estímulos que se contraponen a la máxima cualidad que siempre le hemos atribuido; que el deseo es más cerebral que la razón. En otras palabras, muero por volver a deslizar mi mano en torno al tobillo de Antonia, por untar linimento, por romper con el proceso curativo y continuar la caricia. Y como no se trata de hallar culpables, libero a mis ondas cerebrales de cualquier confusión causada en detrimento de mi voluntad.

La ducha desgrana el flujo de agua sobre mi cabeza. Aguanto. Busco la sensación casi instantánea y siempre única de dejar que las gotas se amalgamen en hilos surcando mi cráneo, el cuello, mi estremecimiento perdurable. Lo retengo lo más posible, procuro un breve cambio de postura, abro un nuevo cauce al girar el cuello pero ya es tarde. Nada. Se ha ido. El agua que golpea mis hombros, que escurre desde mis cabellos ya no me causa el placer de las primeras gotas. Me resigno. Es hasta entonces cuando tiendo la mano hacia la bandeja, hasta la botella de champú.

Vierto una cantidad suficiente, quizá exagerada. Me gusta generar mucha espuma. Por eso froto con fuerza hasta quedar con las manos llenas de copos blancos. Los aprovecho para lavar mi pubis que, pronto, también termina blanqueado. Con los restos me lavo los pies para no contaminar la esponja ni el jabón corporal. Antes de enjuagarme las manos, las paso sobre el espejo, luego le echo agua. Así garantizo que no se empañe. Agito la botella de espuma para afeitar, disparo el gel, lo froto y me lo pongo sobre la cara. Me rasuro con lentitud, sintiendo cómo el agua pega contra mi espalda, demasiado caliente para este clima pero ideal para abrir los poros, para no tener que pasar el rastrillo dos veces ni en contrasentido. Al terminar paso una mano sobre mi cara, detecto las zonas ásperas, mal rasuradas. Vuelvo a recurrir a la espuma de mi cabeza para cubrir mi cara y volver a pasar la navaja sobre las imperfecciones.

Anego el estropajo de jabón, es una nueva espuma, más persistente. Siento cómo una película recubre mis dedos, mis piernas, el abdomen y el pecho. Me giro para lavar la espalda sin que el agua se lleve lo que le queda al estropajo que uso en medio de una contorsión. Abro un poco más la llave del agua fría. El cambio de temperatura no es automático. A veces mi impaciencia me lleva a apresurarlo pero suele ser contraproducente. Es mejor esperar. Cuando por fin sucede, tomo jabón líquido para la cara. De inmediato siento los efectos de la cafeína, de la sábila, de los cítricos abriendo los poros, penetrando antes de contraer las arrugas. Es una sensación placentera pero tampoco dura. Entonces me enjuago. Me paro bajo la ducha y dejo que el agua se lo lleve todo: el jabón, la embriaguez, las dudas. Me ayudo con las manos para que toda la espuma se diluya, baje por mi torso, mi espalda, mis piernas y se acumule en un charco grisáceo que pronto se va por la coladera.

Lo único que persiste son las dudas, no bastó todo el empeño. Se multiplican, una genera otras tantas. Se acompañan de la culpa, de la incertidumbre. De las palabras de Emily asegurándome que a las mujeres les gusta ser miradas. De la frase de Antonia que, ahora caigo, en realidad eran dos oraciones. De un deseo que se despierta cuando paso mis manos por mi miembro para liberarlo de la película jabonosa. Las dudas persisten pero, al menos ya estoy bañado, limpio, sin el lastre de una conciencia alterada. Las dudas persisten pero ya no se sienten como una tara.

Tras el desayuno, la mañana pasa sin aspavientos, dejándose fluir lenta, espaciada. Me he instalado en el estudio para revisar mis correos. Nada nuevo: ofertas para que dicte dos conferencias, algunos adelantos en la agenda del próximo mes y una súplica sesgada de mi editor para que le mande los avances de mi nueva novela. Sabe que no resisto que se me presione demasiado. Quizá por eso ha optado por deslizar el comentario como de paso, algo así como: "¿y para cuándo podremos disfrutar de tus siguientes líneas?" en medio de un mail mucho más largo en el que me habla de anticipos y regalías, intentando que no me dé cuenta de sus exigencias. No le contesto. Lo dejo en la bandeja de entrada para cuando tenga ánimos pero, sobre todo, para cuando tenga una respuesta que ofrecerle.

Pese a que tengo trabajo pendiente, prefiero detenerme a contemplarlas. Ellas se asolean en una orilla de la piscina, en un par de tumbonas justo dentro de mi campo visual. Me pregunto si el que se hayan acomodado ahí no está relacionado con aquello que me dijo Emily ayer por la mañana: que a las mujeres les gusta que las miren. Si no fuera así, quizá habrían optado por tumbarse más cerca de la terraza, donde la vista del mar es imponente y el sol pega sin el reparo de las sombras de las palmeras que dejan sentir sus hojas sobre las pieles que se broncean.

Visto desde cierta perspectiva, mi hija tiene razón: a las mujeres les gusta que las miren. De otra forma sería difícil explicar sus preferencias a la hora de elegir ciertos atuendos, de subrayar aquello a lo que sólo se puede acceder mediante la imaginación. Si uno repasa la

moda en el último siglo, ésta ha consistido en
ir mostrando el cuerpo, mucho más el de las
mujeres que el de los hombres. Si acaso, la ropa
para nosotros ha evolucionado en cuanto a los
colores, a ceñir un poco el cuerpo. En cambio,
la de ellas resulta una provocadora revelación.
Caigo en cuenta de que mi argumento es el que
podría esgrimir un violador a la hora de justificar sus actos. La diferencia entre un sujeto así y
yo radica en que sé contenerme, me digo para
justificar lo que estoy pensando pero sé que no
es cierto. La diferencia estriba en que he descubierto que la atracción no basta para someter a
una víctima posible, es necesario que haya un
juego previo, seducirnos. La pérdida de anima-
lidad es la que provoca el placer, no sólo el coito
forzado o la fuerza bruta.

      Entonces me vuelvo a detener. De ser
cierto lo que dice Emily, que Antonia se muestre
ante mí es, en alguna medida, una suerte de
aceptación, un medio para decirme que mi deseo
no es solitario. Concluyo más para fortalecer mi
fantasía que convencido por el argumento. A la
hora del escarceo amoroso, lo que menos importa es la racionalidad. Aunque, claro está, ello no
impide que me entretenga con la sombra de la
palmera que oscila entre la espalda de la una y el
trasero de la otra.

      De tan absorto que estoy, casi no me doy
cuenta del peligro que puede entrañar un movimiento sensual. Cristina entra en escena justo
cuando Emily empieza a untar de bronceador la
espalda de Antonia. Lo hace con un ritmo lento,

dejando caer unas cuantas gotas que estremecen y arquean a su amiga. Luego las desplaza con esmero, entretenida en los omóplatos, en la línea de su columna. Baja las manos por los flancos, hasta el breve listón de sus bragas. El pasmo se rompe cuando descubro que Cristina también las está viendo. Sigo su mirada sólo para percatarme de que mi hija deshace el nudo del top, posibilitando un bronceado parejo, sin líneas de sombra por la vestimenta.

Suspiro aliviado cuando mi asistente se da la vuelta, sonriendo. Para ella es algo tan común lo que sucede en las playas que dista mucho de escandalizarse por esa escena. Era mucho peor la idea de que yo me estuviera acostando con una jovencita como Antonia que la de un posible romance entre dos muchachas. O no, pero su malicia no alcanza a imaginar lo que se adentra por mis pupilas: la mano de Emily termina de ungir la parte anterior de los brazos de Antonia, se aproxima a la axila y, sin concesiones, parece hacerse un hueco entre la tumbona, la toalla y los senos de una Antonia que arquea la espalda, se estremece, remolonea y evita que continúe la caricia.

Emily acerca su tumbona antes de tirarse boca abajo. Ella misma desata la tira que da a sus pechos resguardo ante los mirones. Alcanzo a escucharla pidiéndole a Antonia el mismo ritual. Ella duda, voltea intentando descubrirme pero no es fácil verme a contraluz. Se anima, se sienta dándome la espalda, exhibiendo su totalidad como una promesa. Emily aprovecha para girar la cara hacia donde ella está, para ver sin censura los pechos de su amante mientras extiende el bronceador sobre su espalda. Lo hace con prisa, se le nota un tanto cohibida. Yo observo impaciente a que me regale un atisbo que complete su figura sentada sobre sus piernas, su cintura, sus nalgas cubiertas por una tela estampada y colorida.

La suerte parece estar de mi lado. Lo que en un momento es un sol radiante, pronto se convierte en una lluvia de rotundos goterones. Caen tres o cuatro sobre ellas antes de que se precipiten, como si no fueran capaces de distinguirlos del entorno. Antonia es la primera, me regala el perfil que precisó para hacerse de la toalla. Se envuelve mientras Emily, con una calma casi planeada se incorpora, exhibiendo sus senos al aire. Casi tendría que decir que son perfectos. Redondos y firmes, acusan un bronceado parejo, como si estuviera acostumbrada a voltearse sin tapujos en cuanto el sol hubiera hecho su trabajo en su espalda. Alcanzo a notar que sus pezones están endurecidos aunque no puedo deducir si es porque Antonia la masajeaba, porque la lluvia la estremeció o porque me descubre antes de envolverse con una toalla.

Cuando las chicas bajan, Cristina se ha despedido de mí, me ha confirmado que no vendrá hasta la próxima semana y le he pagado. Llegan juntas a la sala. El pelo mojado aún escurre un poco. Las dos usan albornoces cortos, atados por la cintura desde donde divergen sus vuelos un poco, apenas para abrirse cuando caminan.

No quiero cometer el mismo error de ayer. Por eso preparo café. En una pequeña marmita pongo a calentar agua mientras muelo el grano en un molinillo manual. En cuanto hierve, la apago, agrego tres cucharadas de azúcar y espero a que rebulla de nuevo antes de agregar otras tantas de café molido fino y una pizca de canela. Es mi interpretación de un café turco pero con una proporción mayor de azúcar. Queda espeso, aromático. Mando traer el grano desde el continente al menos una vez al mes, para que no pierda su olor, para que los granos no pierdan la grasa que los envuelve. Les sirvo en pequeñas tazas aunque para mí lo haga en una grande y espero a que escurran los asientos desde la olla. Me gusta jugar con los pozos en la boca, masticar el polvo casi imperceptible.

Aunque las dos acceden, me piden algo más fuerte. Les sirvo un par de copas de coñac y dejo la botella sobre la mesa de la sala. Están sentadas en un sofá de varias plazas. Opto por uno de los individuales y quedo casi frente a ellas. Durante algunos minutos, tomamos el café en silencio. Las dos están descalzas, se han sentado sobre sus piernas y me crean un sentimiento de indefensión con su actitud. Como si hubieran sido rescatadas de un naufragio, su pelo mojado, las batas, encogidas por el frío, resoplando en la taza o apurando un traguito de licor mientras se aclimatan. Se ven más infantiles, menores. Pensar en Antonia en términos sexuales hasta parece perverso, por no hablar de pensar en Emily.

Pero la sensación se diluye rápido. Pronto están más relajadas, la lluvia tiñe con matices melancólicos el ambiente. Emily dice que nunca le había tocado ver llover en este sitio. Yo le recuerdo que sí, la primera vez que vino, también alguna de las subsecuentes, estoy seguro de ello. Ella intenta hacer memoria. Se lanza en un circunloquio en el que confunde fechas, lugares. Antonia simula interesarse, fija la mirada en Emily. Sin embargo, caigo en la cuenta de que, mientras lo hace, aprovecha para reacomodar la postura. De un momento a otro sus talones descansan, uno sobre el otro, en la mesa de centro. Un instante después, se encuentran paralelos. Mi vista se pierde en la posibilidad de que se separen. El albornoz apenas cubre la mitad de los muslos y deja su abertura como una delta insinuante sobre ellos. Al centro confluyen unas piernas en una zona de oscuridad por demás atractiva. Los pies de Antonia se separan otro par de centímetros, como si fuera capaz de sentir que mis ojos se esfuerzan por adentrarse más allá de los faldones de la bata.

Sé que la he visto con menos ropa, que conozco sus piernas por completo, que la tela no me va a revelar más de lo que su traje de baño me ha mostrado. Aun así, no puedo evitar centrar mis anhelos en su mano que, descuidada, se frota un muslo por debajo de la tela, la levanta y la deja de lado, regalándome un territorio más de su piel. Estoy tan concentrado en la tarea de avizorar lo que se va mostrando cada vez más que no escucho lo que Emily dice. Si acaso, alcanzo a oír algo acerca de sus primeros recuerdos, cuando éramos una familia feliz.

Sin previo aviso, Antonia separa por completo sus tobillos. Es un movimiento raudo, medido, que me deja ver una braguita atrapada entre las nalgas. Pero apenas es un segundo. Un obsequio que se me arrebata porque, de inmediato, se sienta de lado, tapa la mayor parte de sus muslos con la bata y me mira admonitoria. No hay sensualidad, tampoco juego. Al contrario, una ligera consternación ensombrece sus pómulos, bajando hasta la barbilla. Volteo a ver a Emily sólo para descubrirla triste, hablando con pausas, dando gravedad a sus palabras. Nos hace partícipes de una confesión, de una buena parte de la historia de su vida.

Conforme Emily logra dar coherencia a su historia, caigo en la cuenta de que la dirige a Antonia, ignorando mi persona, tratándome de personaje secundario, sin vincularse conmigo, sin mencionar siquiera mi nombre. Decido no intervenir porque el pasado es más la suma de nuestros relatos que una serie de hechos fijos a los que rescata la memoria. Entonces su distorsión no es tal, si acaso una nueva perspectiva que le otorga volumen a lo que podría ser apenas una línea; es una frase que se reconvierte hasta ser parte de una vida. Emily habla de sí como si fuera otra, se aparta para contar el momento en el que se conocieron sus padres: Nora y yo que carezco de nombre; Nora y él que es diferente al que ahora se reclina, se sirve tres dedos de coñac y se transforma en uno de los tantos que fueron hace más de tres décadas.

Los padres de Emily estudiaban sus posgrados en una universidad norteamericana prestigiosa. De ésas que han hecho del espacio una afrenta: los jardines multiplicados por la crujiente cobertura rojiza del otoño, los incontables edificios resguardando anécdotas, las salas de trofeos presumiendo a los grandes hombres que han pasado por las aulas. Si bien sus especialidades eran distintas, se acostumbraba un ciclo de debates interdisciplinario como parte de los programas académicos. Esto sucedía hacia el final de todos los semestres impares. De otro modo, habría sido imposible conjuntar a una joven, y bella, promesa del análisis financiero con un avezado psicólogo de prosa fácil. Así que, sin saberlo, sin planearlo y sin haberlo podido eludir, de pronto se encontraron en un panel discutiendo acerca del carácter verdadero de un relato, del relato. La episteme de la ficción, intitularon los organizadores a la mesa redonda completada por un matemático y un diseñador industrial.

Tras la primera ronda de participaciones obligatorias, las posturas estaban bien definidas: el matemático despreciaba el problema, había dado a entender que era un desperdicio de tiempo y que se daría por bien servido si terminaban pronto; el diseñador no entendía el asunto, la realidad tenía más que ver con lo tangible, para qué preocuparse por el resto; la economista hizo ver que, si bien es cierto que las películas y las novelas tenían cierto nivel de realidad, éste era inferior al de la vida que vivimos; el psicólogo discrepó haciendo notar que el cerebro actúa de forma similar frente a los recuerdos vividos y a los narrados, que no hay algo así como una realidad verdadera y, por tanto, los dos niveles de los que hablaba su compañera ponente no son sino formas de interpretar lo mismo: lo que somos. En conclusión, eran tres contra uno.

La ventaja que creía tener la economista se diluyó al buscar el apoyo de sus pares. Ellos querían terminar la discusión, saltar el requisito académico, acreditarlo y regresar a sus labores. Para ser sinceros, ella también tenía esas intenciones antes de iniciar el diálogo. Sin embargo, su espíritu competitivo la animó a poner en su lugar a ese joven pretencioso que hablaba edulcorando las frases y recostándose contra el respaldo de su silla. Fue una batalla entre dos a la que asistieron no pocos testigos, incluidos sus compañeros en el panel.

Él se sintió fuerte al discernir sobre el involucramiento. Los buenos espectadores son aquéllos capaces de ponerse en el lugar de los personajes, no sólo de sufrir y gozar por ellos sino como ellos. Tanto si son producto de la ficción como si saltan de un relato salido de la experiencia de un amigo. Es la base para explicar las razones por las que, a las afueras de un cine, muchos se comportan como los personajes, se creen magos, espías o superhéroes porque no han hecho la transición de una realidad a la otra.

Ella le reviró aceptando su planteamiento pero con acotaciones. Si bien es cierto que uno se puede dejar seducir con la idea de ser otro, basta un instante de reflexión, de toma de conciencia, para caer en la cuenta de que eso es transitorio. Nadie en su sano juicio puede aceptar que sus deseos de aventura, los mismos que lo llevan a creerse el mago, el espía, el superhéroe y todos los demás, tienen un componente de realidad del mismo nivel que ir por el automóvil acabada la película o decidir lo que se va a cenar esa misma noche, por no mencionar problemas más graves, capaces de generar angustia. Entonces, concluyó lapidaria, lo que está escrito (y también lo que nos cuentan amigos y conocidos) no puede ser tan real como nuestras vidas ni las puede afectar como lo que nos sucede.

Él se impuso haciendo trampa:

—¿Quieres decir que si, por ejemplo, en lo que hablabas, hubiera escrito en esta hoja que me gustas mucho, que me encanta la forma que hacen tus labios al pronunciar la O y que cedería en esta discusión con tal de que me fuera posible imaginarme besándote... sería menos real que si te lo digo como ahora?

Le extendió el papel doblado, esperó a que lo leyera y se levantó tras ella. Sonriendo, incluso alcanzó a escuchar un tímido aplauso.

A las tres semanas de aquella discusión pública ya vivían juntos. Compartían un pequeño estudio con una recámara, un vestíbulo y una minúscula cocineta en la que apenas se sabía de café y emparedados. Habían conseguido permutar sus dos cuartos por un estudio gracias a los contactos de Nora en la oficina de intercambios académicos sin pagar ningún cargo extra. La mudanza fue más un reacomodo de pertenencias que un esfuerzo de embalaje y traslado; tan sólo se cambiaron de planta en el mismo edificio.

Antes de que tuvieran tiempo de decidir qué repisas eran para los libros de cada uno, él ya extrañaba la vista del campus por la ventana. Antes solía pasar horas oteando el horizonte, adivinando el recorrido de una pareja que buscaba perderse más allá del camino de arcilla o seguir a lo largo de toda la imbricada vereda de adoquines a una mujer que le llamara la atención. En su nuevo hábitat, la ventana se convirtió en un inmenso ventanal que le ofrecía la contundencia de los amaneceres sobre la parte más bella del lago, es cierto, pero apenas y le mostraba algún vestigio de actividad humana. A ella poco le importaba. Conforme en su nueva circunstancia, le resultaron suficientes los escarceos nocturnos y la cama compartida. No tenía tiempo para más, el final del semestre se acercaba inexorable e iniciar una relación a estas alturas resultaba peligroso si quería conservar los privilegios de la beca o, más aún, si seguía en su lucha por obtener el más alto de los promedios.

Así que se deslizaron hacia su nueva cotidianeidad como quien entra caminando al mar en un día soleado. Ni siquiera se sorprendieron ante el descubrimiento de sus manías. Ellos estaban hechos para vivir juntos y el pasado sólo era una abstracción a la hora de la nostalgia. Una nostalgia reducida a una vista que ofrece un ventanal o al lugar donde uno suele acomodar sus pertenencias, el lastre de su pasado.

Poco a poco, de manera natural y sin cambios abruptos se fueron acostumbrando al rumbo de sus presentes. Él dejaba que ella se hiciera cargo de todo, porque tenía una idea clara y preconcebida de lo que deseaba del futuro. Al mismo tiempo que invertía sus horas en ser la mejor estudiante que hubiera pasado por esas aulas, emprendía pequeños negocios entre los que destacaban sus especulaciones bursátiles. Así empezó a hacerse de un ingreso respetable que contrastaba con la parsimonia de un psicólogo volcado en su investigación. Lo que para ella era apenas un requisito para ir haciéndose de un nombre en el agreste mundo del entorno económico, para él era el sustento de lo que había pensado sería su vida: dedicarse a la investigación académica.

Por eso ponía todos sus esfuerzos en su trabajo recepcional. Cuando ella se enteró de su tema de tesis, estalló en una carcajada con la que dejó en claro que no se lo reprochaba ni mucho menos. Él estudiaba los procesos que hacían de una novela un best seller. Se encerraba por horas a leer intentando desentrañar los secretos que devenían en motivaciones populares. No es que le interesaran las novelas en sí mismas, lo que le apasionaba era la idea de comprender un mecanismo o fórmula capaces de enganchar a millones de lectores. Cuando llegó a la conclusión de que el proceso era caótico, que dependía de muchas más variables de las que era capaz de monitorear, ella se bajó de su nube para ayudarle. A fin de cuentas, el comportamiento de los consumidores era algo mucho más cercano a su campo de experiencia. Las conclusiones de su tesis casi las elaboró ella sola aunque él tuvo el cuidado de reescribirlas y manipularlas: consistían en un conjunto limitado de elementos que, valorados cuantitativamente, solían dar como resultado un best seller. Si bien es cierto que no era una fórmula, por lo que no aplicaba en todos los casos, era un punto de partida valioso. Tanto, que años más tarde aplicó sus conocimientos al escribir *Bajo la sombra blanca del abedul.*

Se acoplaron de tal modo para trabajar juntos que la transición a la vida extra académica se dio de forma natural. A ella le ofrecieron un importante puesto en una consultoría bursátil del otro lado del Atlántico. Él se montó en el mismo avión convencido de que una universidad era tan buena como otra a la hora de investigar. No se equivocó. Consiguió una plaza de tiempo completo que le permitía encerrarse en su cubículo a ver pasar a las alumnas mientras ella vivía la adrenalina de su trabajo con una emoción creciente. A la hora de los ingresos ella no tenía problemas en compartir su riqueza siempre y cuando él se hiciera cargo de los quehaceres cotidianos. Pronto su departamento se convirtió en un punto de arribo nocturno para ella, que apenas contaba con la energía suficiente para cenar poco e irse a la cama.

Todo se habría ido a pique de no ser porque, de buenas a primeras, una tarde él la recibió temprano junto con su reproche:

—Estoy embarazada —dijo en un tono que no dejaba lugar a dudas: a ella la idea le irritaba y con razón, ya que rompía con todo el plan que había construido para sí misma. Para ella, la familia era algo que consideraría después de conseguir, al menos, una vicepresidencia o ingresos anuales de seis cifras.

—¡Qué maravilla! —fue lo único que él alcanzó a contestar porque se debatía entre la noticia, de por sí estremecedora, y la actitud de Nora que no le permitía abandonarse al júbilo ni sumarse al enojo; ella debía ser la única protagonista en el escenario.

No pudo abrazarla ni entregarse al festejo. A cambio, vino una discusión aciaga en la que no valieron los argumentos, las palabras mesuradas que él dijo o el enojo de ella. Al final, acordaron que tendrían al bebé, que en cuanto pudiera ella se reintegraría al trabajo y que él se haría cargo de todo. De nuevo, Nora se mostró inflexible, vio a su embarazo y futura maternidad como un ligero obstáculo que sería superado en cuanto su hijo dejara de habitar su vientre. Él accedió sin cortapisas. A fin de cuentas, la idea de ser padre le resultaba por demás atractiva.

Emily nació una tarde de presagios ambarinos que consiguieron cautivar a Nora. Sin previo aviso, lo que había sido un contrato de conveniencias se tornó en una familia feliz. La madre recortó sus horarios de trabajo al mínimo en el momento justo en que aprendió que la distancia es una excelente forma para el mercado de capitales. Supo ser cautelosa porque ya no sólo se jugaba su dinero y su porvenir. Incluso, aceptó una vicepresidencia ejecutiva que la ataba varias horas a la semana a una silla reclinable desde la que poca injerencia tenía a la hora de las decisiones difíciles. No le importó. A cambio, empezó a disfrutar la idea de la familia funcional que se reunía a cenar todas las noches mientras se platicaban lo sucedido en la jornada.

Emily recuerda con especial añoranza aquellos años de su niñez. Con un padre siempre presente y una madre cariñosa que no sabía de impedimentos a la hora de llenar de juguetes a su pequeña. Fue la época en la que él comenzó a escribir *Bajo la sombra blanca del abedul*. Un tanto por hastío y otro tanto por salir del anonimato. El mundo académico lo asfixiaba. Estaba harto de políticas insulsas, de alumnos a los que no le interesaba enseñar, de sistemas de puntaje para obtener prerrogativas y de un presupuesto limitado y su consiguiente falta de reconocimiento. Sus trabajos de investigación habían seguido la misma línea que su tesis de grado, pero no habían hallado eco en congresos ni en publicaciones serias. Sus aportaciones eran demasiado hipotéticas, casi nulas, no contaban con el aval del método, de una comprobación contundente. De buenas a primeras, comprendió que la única forma de mostrar que sus trabajos no sólo eran serios sino certeros era ponerlos en práctica.

Durante más de un año esbozó la novela. Integró un relato en el que cada uno de los elementos enunciados por Nora iban ganando peso específico. Antes de escribir la primera línea ya había armado y rearmado la historia más de una veintena de veces. Y aún le faltaba la parte de la investigación. Dedicó un año más a ello mientras se aburría repitiendo temarios insulsos. En un momento de recorte de personal, se especuló sobre su salida. No se preocupó. Confiaba en su novela. Conforme la fue construyendo, una suerte de paroxismo se apoderó de él. No pensaba más que en el texto pero escribir requiere oficio, no sólo voluntad. Se pasaba las tardes enteras, los trayectos, las clases mismas, pensando en las palabras exactas, en la frase que le permitiera encabalgar la siguiente escena, en cada uno de los diálogos sólo para, al llegar frente a la computadora, quedarse pasmado, sin ánimos para escribir.

Bajo la sombra blanca del abedul fue una batalla entre sus deseos y sus limitaciones. Algo se interponía entre él y su obra maestra. Fue una época dura, en la que apenas alcanzaba a convivir con Emily y con Nora antes de encerrarse en su estudio para ver pasar las horas frente a una pantalla titilante en tonos ambarinos. A la fecha, le gusta pensar que así habría seguido por siempre de no ser porque un día cualquiera, sentado en el comedor universitario, se le ocurrió una frase y decidió escribirla de inmediato. Pronto descubrió que *Bajo la sombra blanca del abedul* era una novela que debía escribirse a mano. Así se hizo de un primer borrador lleno de flechas y anotaciones. El mismo que transcribió en un estado casi místico, en un tiempo récord si se consideran sus varios cientos de cuartillas.

Cuando Nora lo recibió, prometió leerlo en cuanto tuviera un tiempo. La relación entraba en un nuevo vaivén en el que él se sentía libre para compartir todos sus ratos libres con Emily mientras que Nora estaba agobiada por el trabajo. Pasaron varios meses en los que él fue testigo de cómo su manuscrito se empolvaba sobre el escritorio de su mujer. La misma que no asistió al fin de cursos de la primaria, que se negó a vacacionar con ellos y que seguía sin leer la primera novela de su marido. Padre e hija descubrieron un mundo nuevo para ellos: el de su amistad. Ambos necesitaban depositar en el otro las inquietudes e inseguridades que les causaba la falta de atención de Nora. Se fueron a un viaje sin creer en la promesa de que ella los alcanzaría. Cuando volvieron, eran otros.

Mucho más unidos. Mucho más apartados de Nora.

El manuscrito seguía en el mismo lugar, Nora continuaba llegando tarde de su trabajo y, en los pocos minutos que pasaba con ellos, se desvivía en reproches. En cuanto Emily volvió a la escuela, él recuperó el manuscrito y se dio a la tarea de leerlo y corregirlo. Lo hizo sin que su esposa se diera cuenta de que ya no la aguardaba para su lectura. Tras unas cuantas semanas de revisión concienzuda, lo mandó a una editorial para su dictamen; un nuevo periodo de espera nublaba el panorama. Pero era diferente. Procuró olvidarse de su texto, se dedicó en cuerpo y alma a sus labores en la universidad e hizo hasta lo imposible por continuar fortaleciendo el vínculo con Emily pese a que ella estaba en un internado a varios cientos de kilómetros de distancia. A Nora, si acaso, le daba los buenos días y las buenas noches como se le dan a un extraño o a un conocido cualquiera. Al menos, hasta que le llamaron de la editorial para decirle que publicarían su novela el próximo año.

Esa tarde se preparó para la más larga de las esperas.

Cuando tuvo el primer ejemplar en sus manos, hizo los arreglos para una cena romántica con su mujer, pensando que, quizá, su matrimonio no estaba del todo perdido. La cena no funcionó: ella estaba exhausta, saturada de ocupaciones y mostró poco interés por las noticias; él se supo ensoberbecido, petulante y lleno de reproches.

—A ver si así la lees —le dijo arrojándole la primera edición dedicada a ambas: "A Nora y a Emily, los pilares que me sostienen", y se alejó dando un portazo.

A partir de ese momento se inició la debacle en su matrimonio. Ella dejó añejarse el libro tal como lo había hecho con el manuscrito. Él se permitió el lujo de dejarse seducir por la fama repentina. Pronto descubrió las mieles de la popularidad. Aceptaba cuanta invitación le hacían sus editores. *Bajo la sombra blanca del abedul* se convirtió en un éxito perdurable. Tanto, que durante los siguientes meses apenas hizo otra cosa que acudir a ferias de libro, a congresos como invitado especial, a pláticas en torno a la cultura japonesa, a cursos que dictaba en unos cuantos días sobre cómo escribir una novela. Apenas estaba en casa unas cuantas semanas al año, lo que representó un problema sin precedentes: tuvieron que extender la estancia de Emily en el internado. Lo que alguna vez fue un hogar se transformó en una oficina habitada por dos extraños compitiendo por el éxito. Hasta hubo un par de asistentes instalados en el estudio peleando entre sí por favorecerlos a él o a Nora.

Un ascenso en la carrera de ella se opacó con la publicación de una nueva novela, con el anuncio de traducciones. Todo lo que les quedaba era una serie de eventos sociales a los que acudían con reservas: los de ella eran habitados por tecnócratas acicalados, los de él resultaban estridentes y agotadores. Si acaso se sentían a gusto cuando, llegados a una reunión, se dispersaban para platicar con otros interlocutores. Llegar a casa era levantar una nueva fortaleza. Al cabo de un par de años, estaban exhaustos.

Fue un verano cuando él se llevó a vacacionar e Emily en solitario. Entonces todo se precipitó. Del hotel bajaron al pueblo sólo para encontrarse con un desarrollo inmobiliario al borde de la playa. Al lado, un centenar de terrenos había sido puesto a la venta.

—¿Te gustaría que construyéramos una casa aquí?

—¡Claro! —fue la respuesta un tanto ingenua de la chica que vio en este paraje la posibilidad de rescatar a su familia, su madre no podría oponerse a vivir frente a la playa. Aquí no habría preocupaciones ni trabajo que los distrajera. Aquí serían felices de nuevo.

Se firmó el contrato e inició la construcción bastante pronto. Antes de que la casa estuviera lista se había concretado el divorcio y, con él, se disolvieron las esperanzas de Emily. Fue un shock que se metamorfoseó en rencor, en un odio sesgado al descubrir que ella se quedaría con su madre; ni siquiera podría disfrutar de ese paraíso casi virgen que había ayudado a adquirir.

—Y así, de buenas a primeras, no sólo descubrí que mi familia estaba desintegrada sino que, además, acababa de perder a mi padre —concluye Emily con un lagrimeo constante, la voz quebrada y un reproche anegándole las palabras—. Por cierto, aún guardo ese primer libro que le dejaste a mi madre, tiene la dedicatoria rasgada a fuerza de haberla tachado, emborronado y vuelto a escribir. Si, al menos, me hubieras dado tú mismo un ejemplar para mí.

Una imagen me asalta de pronto, el reproche ha surtido efecto. El libro para Nora lleva varios días en el escritorio, tal vez más tiempo, no soy capaz de precisarlo. Lo que recuerdo, con meridiana claridad, es que verlo me bastaba para enfurecer. Fue una época en que llegar a casa me era insoportable. Nada bueno me esperaba. Nora y su eterna competencia. Si acaso, un atisbo a la recámara donde Emily dormía. Pero incluso eso se estaba perdiendo: la mezcla de mi euforia y mi mal humor hacían que olvidara el consabido gesto nocturno, que violentara el pacto existente entre nosotros.

De pronto, una noche que había olvidado por completo: camino por el pasillo, discuto con Nora, la duela hace eco de mi enojo, la franja de luz saliendo por debajo de la puerta de Emily. Un par de toquidos sin respuesta. Me aventuré suponiendo que estaría dormida y que se había olvidado de apagar la luz. No era así. Me recibieron sus ojos verdes clareados por el disgusto, con tonalidades grisáceas.

—¿Me lo lees?, ¿lo leemos juntos? —antes de cualquier reclamo, Emily me ofreció una tabla de salvación.

No la aproveché. Ella era la única que había celebrado la publicación y, aun así, nunca le di un ejemplar propio, un libro que le perteneciera.

—Ahora no, estoy cansado —mi respuesta clausuró una puerta que no ha vuelto a abrirse.

Antonia me ha hecho una seña para que las deje solas. Dudo apenas un segundo, el tiempo necesario para descubrir que no sé cómo decir todo lo que quisiera, que ignoro las palabras precisas para reconfortar a Emily. Me levanto intranquilo. Voy a mi cuarto convencido de que la crispación que he venido sintiendo se ha vuelto ruptura. En cuanto estoy en mi recámara, siento que las paredes me oprimen tanto como las confesiones, como la culpa que se empieza a colar en mis adentros. Me asomo con tiento por una de las ventanas para constatar que ellas se dirigen a la playa. Les concedo apenas un par de segundos. Las escaleras que conducen hasta allá me devuelven el eco de sus pisadas, de la arena incrustándose entre sus dedos y las sandalias.

Ha dejado de llover, el cielo se abre como una promesa a una tarde que alcanza a teñir contornos rojizos; el mar se antoja apacible, vacío de naves y turistas, magnificado en su soledad. Tras el tibio sopor de la escampada se perciben matices frescos. Me pongo un suéter ligero y salgo hacia la calle para no encontrarlas. Necesito caminar, poner en orden mis ideas antes de topármelas de nuevo.

La acera es una sucesión de adoquines pálidos pero lustrosos. Los resabios de la lluvia corren a un costado, hacia las alcantarillas. Sobre el paseo se aglutinan los charcos. Toda la vida me han gustado los charcos. No sólo los de agua limpia, transparente. A decir verdad, los prefiero turbios u opacos. De ésos que guardan en su interior la gama tornasolada de las posibilidades cromáticas. Deben tener un componente oleaginoso para causar el efecto del arco iris. Como la lluvia es reciente no resulta fácil encontrarlos. Camino con la cabeza gacha, sin importarme que algunas gotas se cuelen entre mis dedos. Casi disfruto el placer atávico de precipitarme hacia ellos, de tomar impulso y caer provocando una salpicadura.

Me contengo.

No he venido a rescatar vestigios de mi infancia sino a intentar comprender por qué le fallé a Emily. Quizá así pueda resarcir los daños, restañar un rencor que se empoza en mi conciencia.

El egoísmo tiene demasiadas facetas, de ahí que sea tan sencillo justificarlo. En cuanto reconstruyo la época del nacimiento de Emily, sus primeros llantos, pasos, palabras y años me descubro un hombre feliz. Si bien es cierto que mi matrimonio había dejado de funcionar, la hipocresía estaba bien encauzada y el vínculo que formamos Emily y yo bastaba para hacerme sentir pleno. Dediqué mis esfuerzos a tomar su mano, a leerle por las noches, a peinarla antes de partir a la escuela. Puedo recordarnos yendo de compras para conseguir el vestido que la volvería la más guapa del colegio. También sus palabras titubeantes al confesarme que le gustaba un niño y que no quería que mamá se enterara. No sólo éramos amigos, también cómplices solapándose frente a nuestro sempiterno rival: la figura autoritaria que significaba Nora.

Aventuro diversas hipótesis respecto a nuestra separación pero, siendo sincero, debo reconocer que fue un acto de egoísmo. Cuando uno sabe de cierto que ya tiene algo, no se preocupa por su pérdida. Al contrario, vuelve los ojos con miras a hacerse de algo nuevo. Eso fue lo que me sucedió: la fama repentina me sedujo al instante. No sólo porque descubrí la grata caricia del aplauso fácil sino porque supe que podría competir con Nora en el terreno que más le importaba: el del éxito.

Fue cuando se rompió el equilibrio. Mientras yo me ocupé de la familia y ella de lo profesional, todo pareció estar bien. En cuanto me sumé a su campo no sólo se volvió intolerable la convivencia sino que terminé abandonando a Emily. Ella fue la que pagó al contado todo nuestro egoísmo. O el mío, que es el que me importa. De golpe se acabaron los juegos, las confesiones, la complicidad: yo era un interlocutor tan peligroso como su madre. Tal vez hasta se acabó el cariño.

Detengo mis pasos por lo doloroso de la idea. Intento ubicarme pero he caminado más de lo que hubiera deseado. No reconozco el rumbo. De seguro opté por callejas para evitar el bulevar. Allá, cualquiera podría detenerse ofreciendo asistencia. Aquí, en cambio, los silencios son más socorridos. El ocaso apenas alcanza para precisar la uniforme tonalidad de las fachadas. Es más cal que pintura la que se descascara en las aristas, en los bajos donde se acumula el agua por alguna depresión, impregnando de su aliento mohoso a ladrillos que dan cuenta de la persistente mordida de la humedad.

Intento orientarme mientras lleno mis sentidos con el entorno. Los mismos charcos que me atrajeron cuando inicié mi recorrido ahora extienden sus tentáculos sulfurosos, su vahído ácido, su pestilencia. Las estrellas titilan en medio de un cielo empequeñecido por la cercanía entre los tejados. Algunos incluso se tocan, cerrando el acceso hacia las alturas. Sus tejas son una precaria muestra de equilibrio. Desde sus alturas dejan caer goterones terrosos. El conjunto entero se revela decadente con la ausencia de la luna. Adivino hacia dónde dirigirme. Busco cortar el camino para no regresar por mis propios pasos erráticos. Las farolas no alcanzan para contener la oscuridad. Siento frío, el agua en mis pies no ayuda a calmarlo. De cualquier modo no me detengo. Doy vuelta a la izquierda en una calle. Hacia la mitad de ésta, alcanzo a percibir unas cuantas siluetas recargadas contra una cortina de metal. Adivino el óxido anquilosando sus articulaciones de hierro. Ojala la tienda estuviera abierta, pienso mientras me acerco para solicitar su ayuda.

Son cuatro, son adolescentes, son lugareños y fuman un par de cigarrillos que se alternan entre ellos. Siento una repentina ansiedad por el tabaco que me recuerda los días en que fumaba tanto que el síndrome de abstinencia me atacaba a la menor oportunidad; de hecho, esa ansiedad es la que hizo que redujera mi consumo casi hasta la nada. Me miran con suspicacia, pasando sus miradas sobre mí, aprovechando que estoy en el centro del cono de luz.

—¿Saben dónde hay una tienda cerca? —de pronto mi antojo de tabaco es más fuerte que el del retorno. A fin de cuentas no me siento tan perdido como para preocuparme demasiado.

—Ya están cerradas —me contesta una voz tipluda que aún no ha terminado de madurar. Se le nota en el tono, en su trémula inconsistencia, que contrasta con la seguridad de sus palabras.

—¿No tendrán un cigarro que les sobre? —aventuro al descubrir varios detenidos entre las orejas y el pelo de tres de ellos. Su falta de respuesta me anima—... o aunque sea véndanme uno —concluyo mientras saco unos cuantos billetes de mi bolsa. No traigo cambio pero no importa. Les ofrezco uno a cambio de un cigarro y lumbre. Podrían comprar tres cajetillas con lo que estoy dispuesto a pagar por la veinteava parte de una.

El de la voz tipluda se incorpora. Es más alto que yo, delgado y correoso. Tendrá unos catorce años que no puede ocultar pese a su ceño fruncido y su camiseta con una leyenda diabólica; lo delatan sus facciones infantiles, el tono de su voz. Antes de que hable ya se han incorporado otros dos. Podrían ser menores que el primero pero a esa edad nunca se sabe. El que se acomoda a mi izquierda toma el billete, casi me lo arrebata. Se lo da al que está sentado y recibe a cambio un cigarrillo que me pone entre los dedos. Me lo llevo a la boca esperando el consabido ademán del que aguarda a que se lo enciendan. Pasan varios segundos sin que esto suceda. Estamos detenidos en un cuadro ridículo e inconcluso. Si acaso, el movimiento se resume en las volutas de humo que expele el que permanece sentado.

—¿Me dan fuego? —exijo más que preguntar. No me gusta el cariz que han tomado las cosas. Lo único que deseo es fumarme el cigarro y volver a casa. Sigo con demasiadas preguntas en la cabeza pero el cansancio se va acumulando: no hay nada más agotador que las emociones.

—Eso te va a costar un poco más —contesta el de la voz tipluda, el que parece ser el único interlocutor válido.

Por un momento pienso en reclamar, decirles que ya les he dado más que suficiente para pagar la flama de un encendedor o el costo de una cerilla. Me detengo. Hay algo en la intención de su voz que me hace evitar cualquier problema. Nunca he sido de los que confrontan a los demás, prefiero hacerlos sentir cómodos que encararlos. Vuelvo a meter la mano en la bolsa y aparto otro billete idéntico al anterior. Nunca me había costado tan caro fumar.

—No es suficiente —me dice con desprecio— queremos todo el dinero —concluye con un timbre más adulto, profundo, que sale de sus entrañas.

—¿Y si no? —lo increpo molesto. No me voy a dejar intimidar por cuatro chamacos cuyas edades sumadas apenas superan la mía. Mejor emprendo la retirada. Se me ocurre que debería tirarles el cigarro, arrojarlo con desdén. Ya en casa podré fumar cuanto se me antoje...

No me contesta. Siento el impacto profundo en la boca del estómago. Me doblo. Antes de que mi rodilla llegue al piso consigo recuperar la vertical. Duele. Aun así considero mis opciones. Soy capaz de aguantar una andanada de golpes como ése pero no sé si podré repartir los suficientes como para considerarme victorioso... Un nuevo puñetazo se aloja en mi zona lumbar. Hago hasta lo imposible por recuperar el aliento. Se precipita una andanada. Los flancos y el abdomen son los más afectados. Por suerte, la mayoría no hacen daño, apenas y se sienten. De cualquier modo, cedo aunque he hecho hasta lo imposible por no rendirme. No debo caer pero las piernas con trabajo me sostienen. Apenas pongo la rodilla en el suelo, dejan de pegarme. Me levanto de inmediato. Doy unos pasos, me recargo contra la pared.

Son unos niños, intento convencerme para no flaquear, para no permitir que me roben. Son unos niños, repito cuando una navaja se pasea frente a mis ojos. La empuña el que había permanecido sentado. No exige nada más que mi inmovilidad. Son los otros quienes meten sus manos en mis bolsas. Toman los billetes, ignoran el llavero, arrancan mi reloj. La cortina metálica deja sentir sus contornos contra mi espalda. Antes de darse a la fuga, el de la voz tipluda acerca su rostro a escasos milímetros de mi cara. Se echa hacia atrás, toma impulso y descarga un puñetazo contra mis labios. Me sorprende que no duela tanto. La sensación es caliente, la piel arde antes de sangrar. Lamo el sabor de la afrenta sin dejar de mirarlo a los ojos. Sonríe. Toma un nuevo cigarrillo, me lo pone entre los labios y lo enciende. El resto es su silueta perdiéndose en la oscuridad mientras jalo la primera de las caladas que me duele en la boca, en los pulmones, en el estómago.

Intento abrir la puerta sólo para percatarme de que mi mano tiembla, contagiada por la taquicardia que se fue incrementando en las últimas cuadras. Cuando por fin logré salir al bulevar, un alivio terso se apoderó de mí. Pero la sangre del labio, el dolor en el abdomen y un temor acrecentado por la oscuridad apenas disimulada por las farolas intermitentes, terminaron por alterarme. Apreté el paso, casi corrí cuando mi campo visual fue ocupado por mi casa. Desde la distancia, sus tejas marrones y sus paredes de piedra parda significaron un consuelo para mis dolores. Nunca me sentí tan aliviado por la idea de protección que me brindaba el edificio oculto tras una curva.

Antes de llegar, me volví instintivamente para ver si alguien me seguía, pero el miedo ha dado paso a la indignación. La paranoia se ha escabullido dejando un temblor instalado en mi mano. Por eso tengo que sujetarla con la otra antes de atinar con la llave en la cerradura. Esos pequeños rufianes me han lastrado con la sensación de la impotencia. Debo denunciarlos, hacerlos pagar por lo que me hicieron, usar mis recursos para escarmentarlos. Si al menos me hubiera defendido, si no hubiera sido tan cobarde como para aceptar sus agresiones sin chistar. Tal vez estaría más lastimado de lo que estoy y el resultado habría sido diferente o, quizá, habrían huido ante la sorpresa de haberlos enfrentado. Nunca se sabe hasta dónde puede llegar la valentía. Pero no lo hice. De ahí la impotencia: de la imposibilidad de cambiar el resultado. Como con Emily. Aunque esta experiencia ha sido mucho más tangible que la serie de acontecimientos que empaña nuestro pasado. Sobre todo, porque dicha serie fue resultado de actos meditados, de omisiones, cuando lo que me acaba de suceder apenas puede calificarse como un mero incidente.

Hago mucho ruido al entrar, atinando a mover la manija cromada. En cuanto camino por el recibidor y dejo las llaves sobre la mesita, una luz se enciende por la zona de la terraza. Es Antonia.

Su cara se demuda conforme se me acerca, debo verme fatal. Lo que era una tosca seriedad se ha transformado en angustia cuando llega a mi lado. Viste el mismo atuendo que tenía en la tarde. Si acaso, ha dejado de lado las sandalias y camina descalza sin hacer ruido. En su rostro se notan las huellas del cansancio. Por primera vez desde su llegada, no me parece una mujer atractiva. Refleja los estragos producto de las emociones.

—¿Qué te pasó? —pregunta acercando una mano hasta mi barbilla. Apenas roza la sangre seca. Su contacto me provoca un estremecimiento que me hace apartar la cara; aunque leve, el dolor vuelve, me arden los labios, me lastima un poco.

—Me asaltaron —contesto restándole importancia aunque me toco la zona de la boca sólo para toparme con la textura de una costra. No sólo palpo la sangre, mis dedos adquieren la sensibilidad necesaria para percibir el polvo, la mugre acumulada en torno a la herida.

—Pero... estás bien... —revira, más confirmando que inquiriendo, como si no quisiera enfrentarse a una respuesta negativa. Su preocupación se nota sincera y le agradezco con una mueca que simula ser sonrisa.

—Sí, un poco magullado. Dos o tres golpes además de éste. Algunos billetes, mi reloj. Es más la humillación que el dolor. Apenas eran unos niños. La culpa fue un poco mía, me acerqué a pedirles un cigarro y les mostré el dinero. Además, se notaba que estaba perdido. Son cosas que pasan aunque el coraje se queda.

Nos quedamos en silencio, mirándonos a los ojos. Ella intenta escrutar los daños, me examina. Acerca su cara. Me empiezo a sentir incómodo. Han pasado demasiadas cosas hoy como para iniciar una nueva partida en nuestro juego de seducciones veladas. Rompo el silencio:

—¿Y Emily? —en cuanto formulo la pregunta, caigo en la cuenta de que no es un mero pretexto para retomar el diálogo sino que parte de una duda sincera. También descubro que prefiero enterarme de su estado de forma indirecta. Incluso temo porque no sé cómo reaccionar ante algunas de las posibles respuestas. Qué tal si me dice que se ha ido, que ha preferido abandonarme a continuar cargándome de reproches. Por fortuna no es así.

—Está dormida. Hace rato se tomó un calmante y se fue a la cama —Antonia lo dice con un tono neutro, casi impersonal.

—Creo que debo hacer lo mismo. Voy a subir a lavarme, me serviré un trago y me dejaré consentir por el hidromasaje. No me siento con ánimos para dormir aunque estoy exhausto —le explico a detalle. No sé bien por qué razón pero me he sentido obligado a darle cuenta de cada uno de mis pasos.

—¿Seguro que te sientes bien? ¿No quieres que te revise la herida? —su voz es diligente, sincera. Me hace evocar la época en que alguien se preocupaba por mí. De cualquier modo niego con la cabeza, le agradezco sus atenciones y me encamino a mi recámara.

Tras abrir la llave para que se vaya llenando el jacuzzi en la terraza, vuelvo a mi habitación para enfrentarme de nueva cuenta al espejo. Estoy frente al lavabo, contemplando la violencia del asalto. La parte inferior de mi labio se ha hinchado y tiene un tinte violáceo. Me lavo la cara con mucha espuma y cuidado sólo para descubrir que, en una capa anterior a la que da cuenta de los golpes, otra muestra los estragos de las últimas horas. He envejecido más en estos días que durante los últimos años, y ni la mayor de las indulgencias es capaz de soslayar la imagen de hombre vencido que me devuelve el espejo. Peor aún, decadente, acabado. Hay nuevas arrugas, cierta expresión instalada en mi entrecejo.

Me desnudo por completo, como si mis ropas fueran un testigo del que busco deshacerme; como si mi cuerpo fuera capaz de negar lo que mi rostro ha dicho; como si cubrirme con una bata limpia fuera suficiente para lavar la afrenta, para hacer caso omiso del vello enmarañado, del abdomen que empieza a notarse flácido, de las piernas un poco más delgadas de lo que deberían. Me encamino hacia el jacuzzi no sin antes detenerme por un puro inmenso, de excelente calidad, de los que tienen un apartado dentro del humidor. Guardo la esperanza del abandono. Perderme entre las burbujas, fumando, quizá me relaje lo suficiente, quizá me permita dormir: existen cansancios tan absolutos que impiden el fácil arribo del sueño.

Observo cómo se termina de llenar la tina. Está colocada bajo una pérgola en la esquina de la terraza más cercana al cancel que comunica con mi cuarto. Se llega hasta ahí por medio de un par de escalones de teca oscura, el mismo recubrimiento de madera que rodea la tina por sus cuatro costados aunque, a decir verdad, deberían ser más debido a su composición poligonal.

Cierro la llave. El termostato garantizará una temperatura constante, más caliente que tibia en esta noche estrellada de estremecimientos continuos. Me quito la bata, la cuelgo en el perchero al alcance de mi mano y desciendo hacia el agua. La sensación es cálida, quema un poco. Aun así, apresuro el movimiento. El jacuzzi tiene una profundidad considerable. Parado al centro, el agua me llega a medio muslo, poco más. Me siento en la periferia, en uno de los bancos más bajos, permitiendo que las burbujas lleguen hasta mi pecho, que jugueteen con el espectro canoso que lo satura. Si me deslizara más, podría cubrir mis hombros. No lo hago, no por el momento. Prefiero fumar. Extiendo la mano para hacerme del puro, el cenicero, las cerillas. Contemplo la llama que crepita su génesis de madera. Hago varias aspiraciones sucesivas, garantizando el encendido. Manipulo los controles para que los chorros de aire peguen en mi espalda sin mucha fuerza. Descubro que olvidé un buen vaso de whisky pero no saldré por él.

Suspiro. Me resigno y me relajo. Echo la cabeza hacia atrás y me pierdo en los millares de estrellas que me observan a través del domo sostenido por delgadas vigas marrones sobre mí.

Al poco rato escucho un ruido. Primero son unos toquidos, quedos, cautelosos. Luego se abre la puerta con lentitud. Antonia asoma la cabeza, despacio. Mira en torno. Se anima a abrir por completo, a pasar y cerrar de nuevo. Me busca sin mucho éxito. Prefiero no llamarla, dejar que me encuentre al otro lado del cancel. Pronuncia mi nombre con timidez, luego aventura un "hola" más fuerte. Da algunos pasos antes de localizarme. Sonríe. Es hasta que corre la puerta de vidrio que la veo de cuerpo entero. Trae una botella de whisky y un par de vasos.

—Te olvidaste de tu trago —dice justificándose.

Sonrío hasta que reparo en mi desnudez apenas oculta por el burbujeo, por la penumbra, por mi cansancio.

—Pensé en acompañarte si no te molesta. No tengo nada de sueño y estoy aburrida.

Acepto sin moverme demasiado. Es una situación extraña. Por una parte, me excita la idea de terminar el día acompañado por ella pero, por la otra, un temor ancestral se instala en mí. Mi vida se ha complicado demasiado en las últimas horas como para terminar acostándome con la amante de mi hija.

—Es que… suelo bañarme desnudo —lo digo más como un argumento disuasorio que como una invitación.

—No importa, sólo quiero platicar, pasar el rato, tomarme un trago. Tú te quedas de tu lado y yo del mío —elabora para convencerme. No alcanzo a percibir malicia en sus palabras.

No espera mi respuesta. Vierte un buen chorro ambarino en cada uno de los vasos, me da uno y deja la botella cerca. Con toda la naturalidad del mundo se quita el vestido por la cabeza. Detengo el movimiento para apreciarlo ralentizado, en cámara lenta. Está casi de perfil a mi punto de observación.

Lo primero son sus piernas. Más la izquierda que la otra. Se extienden al infinito, acusan un ligero estremecimiento de frío, son musculosas y lindas. Constato que, tal vez, les falta un poco de forma. Se prolongan a contraluz hasta su cadera. Sus nalgas no hacen una curva pronunciada pero resultan apetecibles apenas cubiertas por la tela. Más cuando se convierten en espalda y ésta en abdomen. Firme, también musculoso, un tanto rojizo a fuerza de sol. Sus pechos son pequeños y, a través de la tela, se alcanzan a ver erguidos y animados; los pezones endurecidos acusan frío o excitación. Sus hombros y su cuello no me entretienen demasiado. Por último su cabeza de nuevo, su cara, sacude el cabello y se yergue, triunfante.

Viste un bikini en dos tonos que se funden en la oscuridad. Se agacha para tomar su vaso. Ha dejado el vestido arrebujado en una silla, aventado al desgaire. Camina hacia mí, con la punta del pie toca el agua.

—Está caliente —retrocede un poco.

—En cuanto estés adentro te acostumbrarás —contesto como un autómata, sin reparar que ése sería el discurso que le diría si quisiera seducirla, convencerla de que me acompañe.

Se anima. Baja rápido el escalón. Se sienta y se acomoda frente a mí. Se desliza un poco hasta cubrir sus hombros. Se reincorpora.

—¡Salud! —adelanta su vaso, que choca contra el mío. Es la respuesta mecánica de los que celebran aunque no haya nada por qué hacerlo.

Doy una profunda calada mientras ella indaga lo que el paisaje le ofrece.

—En verdad se está bien aquí —dice antes de recostarse un poco para ver el cielo.

Pierdo mi mirada en la distorsión de sus piernas bajo el agua, en la conjura cósmica que me tiene dentro de una tina con una hermosa mujer muchos años más joven que yo.

La charla se diluye en nimiedades. La calidez del agua, el ambiente, la resaca de lo vivido durante el día, todo es propicio para no hablar más. El sopor se apodera de nosotros, nos relaja. Las fumadas se van espaciando lo mismo que el alcohol. El último sorbo deja sentir la mezcla de la malta raspando en el trago con el tabaco perfumando el entorno. He dejado que el puro viva sus últimos destellos en el cenicero, sin machacarlo, permitiéndole la agonía que sólo merecen unos cuantos. Reclino mi cabeza y cierro los ojos. Del otro lado de la tina, Antonia ha hecho lo propio, apenas sobresale su cara, como si estuviera flotando junto con las hebras dispersas de su cabello.

Pierdo la conciencia de mi propia temporalidad. Podríamos llevar un par de horas o apenas unos cuantos minutos en este estado apacible, ajeno a toda preocupación, apartado de cualquier historia, justo lo que estaba esperando. La somnolencia va ganando terreno hasta que, de pronto, sin previo aviso, una alarma se activa en mí. Es un chicotazo que recorre mi espalda en un movimiento descendente sólo para regresar hasta mis cervicales. Es la crispación completa. Me incorpora, salpica, altera mi aliento y me arrebata la serenidad. Tardo en reconocerme dentro de mi circunstancia pero Antonia me vuelve a ella. Aspiro bocanadas apresurado, intento regularizar mi ritmo cardiaco, el respiratorio. Ella se ha levantado de su descanso, dejando que el agua la cubra apenas hasta la mitad de su abdomen. Me mira un tanto sorprendida antes de hacerse cargo. En el cielo, nuevas nubes ocultan las estrellas.

—Deben ser las impresiones del día. Relájate, tómatelo con calma, vuelve a recostarte.

Obedezco porque su tono tiene la suavidad de las órdenes disfrazadas de consejo; certero, para mayor conveniencia. El agua debe seguir tibia gracias al termostato aunque ello no impide que se me enchine la piel.

—Venga, cierra los ojos. Estírate —continúa con calma. Su voz se escucha melodiosa, como si se dedicara a tranquilizar a las personas. Me dejo llevar por la cadencia, por sus palabras.

Cuando toma mi pie derecho con sus manos, un nuevo estremecimiento me levanta un poco.

—Calma, calma —pide mientras se acomoda justo frente a mí—. Estás muy tenso, déjame ver qué puedo hacer por ti. Acércame tus pies.

Me dejo hacer. Los apoya sobre sus rodillas. La gruesa piel de mis plantas apenas me permite percibir el contacto. Antonia se ha sentado erguida. Alcanzo a ver los delgados chorros que caen de su pelo aglutinado, el leve enrojecimiento de sus hombros; una sombra de frío en sus brazos. Bajo el agua, el contorno de sus piernas se diluye con las ondas reflectantes de luz despedazada.

Ella me permite recorrerla con delectación, casi con cinismo. Cuando termino, me concentro en su cara. Me mira antes de sonreír.

—Hazme caso, cierra los ojos —le obedezco pensando que es bella, que es fácil obedecer a una mujer bella.

Me reacomodo antes de volver a sentir sus manos tomando mis pies. Inicia un masaje lento, placentero, que consiste más en frotar y presionar que en otra cosa. Aprieta mis dedos, los retuerce. Recorre las plantas sin provocar cosquilleo. Me vuelvo a relajar. Reclino la cabeza, libero la tensión en los músculos del cuello, reacomodo mis hombros sobre el borde de la tina, percibo los chorros de aire y agua pegando contra mi espalda. Apenas soy consciente del tacto de sus piernas bajo mis talones.

Consigo reprimir un nuevo sobresalto. Antonia ha extendido la zona del masaje. Se entretiene en mis tobillos, en el tendón trasero, pasa la mano hasta su parte interna. Ha dejado de ejercer presión. Sus movimientos se asemejan más a una caricia que a un masaje. Juguetea un poco con los vellos de mis piernas, apenas los toca mientras flotan pero puedo percibir esa sutileza. Se acerca. Sopesa mis pantorrillas, la curva que se acentúa por la gravedad. Consigue excitarme. Siento una tímida erección flotando bajo el agua al tiempo en que se extiende la caricia. Ella debe estar sentada apenas en la orilla de su banco. De otra forma no podría acceder hasta mis corvas. Le ayudo apoyando mis pies sobre el piso. Cuando sus dedos empiezan el ascenso por mis muslos abro los ojos. Se hinca en el fondo de la tina y los acaricia por los costados, casi hasta llegar a la cadera, con una expresión que parece perdida en los reflejos de la superficie.

Mi excitación ya no tiene nada de tímida, pero no me apetece mostrarla todavía. Quizá ella la esté buscando bajo el agua, con los ojos puestos en la zona donde terminarían reunidas sus manos si decidieran acercarse una a la otra. Me hinco frente a Antonia. Nos deben separar escasos centímetros. Creo percibir cierta turbación en ella pero también podría ser otra cosa: tal vez se esté preguntando si hace lo correcto. Yo lo hago. Estoy a punto de dejarme seducir por la amante de Emily. Hacerlo no significaría un riesgo a menos que uno de los dos fuera a decírselo. Aun así, opto por un amago de prudencia, antes de dar el siguiente paso me muestro ambiguo:

—No sé si deberíamos hacer esto, Antonia —pronuncio su nombre con lentitud, como deletreando. Me llena la boca cada una de sus sílabas, de sus acentos.

Aprovecho para extender una mano. Enjugo algunas gotas de su frente, le reacomodo el pelo, la deslizo por su mejilla, su hombro, su brazo y la detengo en su cintura. Antonia recula un poco. Es más coquetería que rechazo, más reflejo que distancia. Toma la mano que he posado sobre ella con la suya. La acaricia un poco, juguetea con mis dedos antes de capturarla.

—Pensé que ya te habías dado cuenta de que a mí me gustan las mujeres —suelta como disculpándose, agacha la mirada, contempla mi mano que aún permanece entre las suyas.

No acierto a contestar. Mi ánimo decae para dar paso a una irritación que encuentra su destinatario en mi persona. No sé cómo he podido ser tan estúpido; cómo he podido caer en un juego que sólo puede tener consecuencias nefandas. Antonia tiene mucho de culpa, me contesto intentando trasladar el objeto del odio, apartar de mí la culpa. Considero increparla, hacerle ver que ella ha desencadenado esta situación. Me enfurezco por lo absurda que se muestra, por sus contradicciones. Fue ella quien se vino a meter en una tina con un hombre desnudo, con el padre de su amante; fue ella quien trajo el whisky, quien lo escanció sin empacho; fue ella quien me dio un masaje, quien pidió calma cuando mi reacción había sido de rechazo; fue ella quien subió la mano hasta mi muslo, quien perdió su mirada entre mis piernas; fue ella quien... Y ahora no sólo se aparta sino que hace sentirme culpable.

Si no fuera por Emily, si...

—Será mejor que me vaya —me dice antes de girar.

Vuelvo a contemplar todo su cuerpo, que esta vez prepara la huida. Además, noto que no la deseo más de lo que desearía a cualquiera. Pero la deseo con violencia. Una violencia que me tienta, que me dice que la detenga, que la atraiga hacia mí y que la obligue de algún modo a terminar lo que ha empezado.

No lo hago.

Su figura se perfila en el contraluz de una noche encapotada. Se pone el vestido sin secarse, lo que provoca se le pegue al cuerpo. Durante todo el proceso de su fuga no me ha dado la cara. Por eso me sorprende al darse la vuelta. Camina hasta el borde del jacuzzi, hasta donde estoy. Se acuclilla a mi lado y, con más ternura que malicia, pone su mano sobre mi hombro. Aunque tengo el impulso de apartarla o de atraerla, me contengo y la escucho decir:

—Pero si algún día cambio de idea, ten por seguro que serás el primero de mi lista.

Despierto tarde y adolorido. La noche ha sido un tránsito aciago entre el sueño y la vigilia. Al final, en la madrugada, me instalé en un estado de duermevela que me fue arrebatando las fuerzas hasta que el cansancio terminó por vencer a la angustia.

Tardo en volver en mí. Durante un rato lucho por prolongar la modorra entre las sábanas. Pero éstas se encuentran húmedas de sudor, de olor rancio, revueltas y arrugadas. Me expulsan más que acogerme. Mis intentos son infructuosos. Termino mirando al techo, su textura y sus formas. La luz se cuela por las persianas semi abiertas pintando diagonales que se intersectan con las vigas, producen sombras oblicuas que acaban por robar los últimos vestigios de mi sueño.

Me levanto al baño sólo para percibir cada uno de los dolores que me aquejan. El cuello y la espalda son una zona fértil para la tensión. Siento los músculos agarrotados. Muevo la cabeza para concentrarme en esa zona de mi cuerpo, ignorando al resto. Orino oscuro, con un olor picante que acusa deshidratación. Bebo directo del grifo antes de meterme a la ducha. El chorro caliente no alcanza para relajar del todo los nudos de los hombros. Aun así, permanezco un buen rato sin moverme bajo el agua. Cuando se empieza a enfriar, apresuro el proceso del champú y me enjabono directo con la barra, sin recurrir a la esponja. Me enjuago con agua fría para recuperar la lucidez faltante.

Los golpes en el abdomen y los riñones apenas se sienten como una punzada ligera cuando me agacho. Supongo que no causaron mayor daño, que fue más la sorpresa por la agresión que los impactos mismos. Tampoco es tan grave el de la cara salvo por el hematoma con tintes violáceos circundado por un halo de tonalidades amarillas y una ligera hinchazón en el labio. Respiro profundo y decido no rasurarme cuando constato que la parte inferior de mi mandíbula se resiente al contacto.

Tengo hambre. Han pasado muchas horas desde la última vez que comí, casi un día entero. Me apresuro a vestirme sin reparar en mi indumentaria. La elijo casi al azar. Encuentro una camiseta que casi nunca uso, unas bermudas y chanclas a las que les ajusto los tirantes de velcro. Me paso las manos por el cabello para darle un poco de orden aunque tampoco tiene mucha importancia. Prescindo de las cremas, del tónico humectante, del protector solar. No creo que fallar un día sea algo irreversible para mis arrugas. Todos esos productos no han servido para ocultar el envejecimiento que se me ha instalado en apenas dos jornadas. Un envejecimiento que es más cansancio que edad.

Bajo sólo para descubrir que no hay nadie en casa. Al menos no en las áreas comunes. Bien podrían estar en el cuarto de Emily aunque no lo creo, la puerta está abierta y no se escuchan voces. Tampoco me acerco mucho. Guardo las distancias. Basta el golpeteo de mis chanclas para anunciar mi presencia. Si están ahí, tendrían que haberme oído. Salvo que no quieran verme. Prefiero pensar que han salido.

Preparo un desayuno bastante simple: pongo a tostar pan, activo la cafetera con una carga que garantice un café oscuro y me sirvo jugo de un envase de cartón semivacío. Unto la mantequilla y la mermelada de la forma más uniforme posible. Cuando tengo todo listo, lo acomodo sobre la barra y la rodeo para sentarme en uno de los bancos. Encuentro la copia de *Bajo la sombra blanca del abedul* que le regalé a Antonia. Empiezo a comer mientras la hojeo sólo para constatar que ha avanzado en la lectura desde la última vez que hablamos de ella. Me basta con leer un par de párrafos, con pasar las hojas un tanto con desgana, para recordar lo que sucede en esa parte.

Al principio sólo hay una sucesión de escenas efectistas, un tanto intrascendentes, orientadas a contar el periodo de entrenamiento de Ogashi. Como yo ignoraba por completo los métodos usados por el ejército japonés en esa época, construí un relato basado más en mis suposiciones aderezadas por el imaginario colectivo de las películas norteamericanas. Lo curioso es que, años más tarde, durante una serie de pláticas en Japón, un pequeño grupo encabezado por un viejillo que hablaba inglés me hizo saber que pertenecían a un círculo de lectura. Quisieron contarme sus experiencias hasta que llegaron a mi novela. Entonces todos asintieron cuando su líder dijo que lo más sorprendente de ella era la forma en que retraté los periodos de entrenamiento anteriores a la guerra. Él mismo había sido un soldado durante esa época y no podía explicarse cómo era posible que yo contara, palabra por palabra, las experiencias de su vida.

Es probable que ése haya sido el mejor halago que ha recibido *Bajo la sombra blanca del abedul*, aunque sé que el entusiasmo suele trastocar los recuerdos y que Ogashi poco tenía en común con aquel afable viejo. Tal vez ambos tuvieran compañeros, pero no los mismos. Mi protagonista se entrenaba con medio centenar. Era difícil de ubicar tirado sobre la nieve, con los ojos apenas atisbando en el frío cortante de la montaña, acatando la orden de permanecer inmóvil pese a que el congelamiento iba ganando terreno en cada uno de sus miembros. Si acaso, su lucha consistía en mover los dedos de sus pies dentro de las botas y los de las manos dentro de los guantes. Un pequeño movimiento que resultó suficiente a la hora de salvar sus extremidades, de no lucir los muñones con que muchos de los otros se descubrieron al terminar el ejercicio: habían perdido falanges sin sentir dolor alguno.

Ogashi no sólo terminó con los dedos completos sino que su estoicismo llamó la atención de sus superiores. Tanto, que pusieron su

nombre en la parte de la lista de los que podrían escoger en dónde terminarían su instruc-
ción. Él había comprendido más temprano que
otros reclutas que era necesario practicar una
nueva forma de obediencia. Su padre lo había
educado en el sentido del honor; pero lo que les
obligaban a hacer era más una prueba para eva-
luar su disposición a humillarse. De otra forma
no se podía explicar que, ante una falla nimia
durante un periodo de guerra, se les hiciera
arrastrarse entre las filas para que el regimiento
entero les escupiera o que se les ataviara de mujeres antes de forzarlos a realizar bailes femeni-
nos para el jolgorio de la tropa. Le quedaba
claro: un buen soldado está definido a partir de
la renuncia a su propia dignidad con tal de trasladar esa dignidad hacia lo colectivo. Un discurso maquillado por otro nacionalista con tintes
fanáticos: Japón debía vencer, las razones eran
lo de menos. Tanto, que la propaganda era in-
suficiente. Si acaso los reunían para hablar de
las viejas glorias de los ejércitos samuráis o para
contarles cómo un viejo maestro había sido capaz de defender a un pueblo entero de la inva-
sión bárbara sólo para sacrificarse al final de la
jornada.

Ogashi podía con todo salvo con la idea
del sacrificio. Si hubiera sido por sus padres,
por Okami, lo habría pensado. Incluso si tuviera que ver con sus amigos, con la comunidad
donde había pasado la mayor parte de su existencia. Pero renunciar a la vida por una causa
tan abstracta como la voluntad de un pueblo al

que no se le había preguntado nada, le pareció absurdo.

Aun así resistió. No era momento de fallar, de doblar las manos y aguantar el esputo de las humillaciones. Renunciar significaba perder en todos los sentidos. Salvo que consiguieran huir, a los detractores sólo les esperaba el escarnio público, el deshonor y, sobre todo, la servidumbre eterna para con la tropa. Si ellos sufrían era poco comparado con esa suerte de esclavos que estaban a su disposición para lo que se necesitara. Un estamento del que sólo se podía salir como héroe o cadáver. Por eso Ogashi hizo todo lo que se esperaba de él. Sus superiores vieron con buenos ojos el informe del encargado del entrenamiento, de sus compañeros que lo respetaban y pedían consejo. Pronto estuvo en condiciones de obtener un grado más alto y, con éste, conseguir lo que buscaba: pertenecer al grupo de aviadores. Estaba convencido de que el aire era un lugar mucho más seguro que la tierra a la hora de entrar en combate. Allá arriba uno podía acabar tan muerto como abajo pero no mutilado, incompleto o tullido. La idea de morir no le era tan aterradora como la de la invalidez o el dolor constante.

Al menos Kioki se refugiaba en la inconciencia. En un nuevo retorno al presente de la narración, Ogashi se detiene antes de proseguir con su historia. Su nieto sigue en coma, conectado a una bolsa de suero mientras su cuerpo permanece inmóvil en la silla de ruedas. Su abuelo ha pensado que parece un animal invertebrado, tal como está, fofo, gelatinoso, amarrado a los reposabrazos para evitar posibles caídas. Ogashi sabe que Kioki no lo escucha, que hay pocas esperanzas de que se recupere y, aun así, duda antes de proseguir. Le da vueltas a su memoria, buscando una forma de que no haya sucedido lo que tiene que contar. Al final se decide a hacerlo. No porque el niño sea incapaz de comprender sino porque él necesita hablar, decirle a alguien todo lo que ha callado por más de medio siglo.

La noche se esparcía incompleta por los barracones cuando un soldado llegó por Ogashi. Ya llevaba lo suficiente en el campamento como para sorprenderse por despertares abruptos e ingratos. De cualquier modo, le costó desprenderse del sueño. Una sensación casi física luchaba por retenerlo. Una sensación que siguió a su lado después de que lo reunieran con otra veintena de aspirantes a mitad del patio de prácticas. Luego los hicieron marchar hacia el norte, hacia un destino incierto. Las botas rasguñaban la tierra congelada; convenía poner los pies donde nadie los hubiera puesto antes para no resbalar.

La oscuridad, la nieve colándose entre las ropas, el áspero murmullo de los pasos y el sueño instalado en la parte anterior de la cabeza, proyectaban imágenes destempladas en el inconsciente de los viandantes. La sospecha rosácea del amanecer llegó varios minutos antes de que el paisaje adquiriera el color de los recuerdos. Los rayos solares apenas alcanzaban a calentar un poco, a desentumir los dedos atenazados sobre la culata y el cargador de su fusil de combate y ya se adentraban por una vereda insignificante entre dos montañas mientras el viento helado cuarteaba la piel de la comisura de sus bocas.

Ogashi no recuerda mayor cosa de ese trayecto pero decide entretenerse en los detalles. No hay nadie que lo desmienta. Pocos se atreverían a negar el dolor en las articulaciones, la punzada en las rodillas cuando el camino comenzó a elevarse, el violáceo temblor de sus labios. Decide extenderse para crear la sensación de que fue interminable la jornada pero, sobre todo, de que no quería que sus recuerdos lo volvieran a esa construcción en medio de la nada. Llegaron cuando el atardecer anticipaba una nueva oscuridad pese a que el día no supuso sino bruma y tonalidades grises. Apenas se habían detenido para masticar unas galletas, beber directo de la nieve, descansar las piernas. No mucho rato, corrían el riesgo de enfriarse y no estaban equipados para pernoctar a la intemperie. No quiso creer en lo que se miraba al final de la senda. Sus ojos resecos y legañosos bien podrían engañarlo. Por fortuna no fue así: habían llegado. Las barracas de madera no le parecieron tan sucias ni desastradas; crepitaban esperanza. Habían dado el primer paso para concretar sus destinos y nadie se había rendido hasta entonces.

La caseta está dividida en tres grandes bloques. Si bien es cierto que apenas se sostiene en medio de las ráfagas de viento, que su parte posterior se recargue contra la pared de roca de la montaña le permite ser mayor de lo que la lógica podría suponer. Apenas adentro, se topan con el desprecio del teniente Tanaka, famoso por su crueldad y malos tratos. No les habla. Deja que el aullido del aire colándose por las rendijas de la madera les comunique la repulsión que le causan. De cualquier modo, ellos permanecen quietos, con las mochilas en las espaldas, las correas lastimando los hombros y el descanso anegando sus deseos. Pero saben que éste no llegará pronto. De otra forma no podría explicarse la presencia de Tanaka.

Aciertan. Al menos lo hace Ogashi que va entendiendo que la extenuación es una parte indispensable en esta etapa del proceso. Por eso tampoco se queja ni reacciona cuando un par de sus compañeros cae de rodillas, rendido. Unos gritos de Tanaka bastan para que dos soldados saquen a los caídos a la intemperie. Su castigo será pasar la noche afuera; con fortuna no tendremos que cargar con ellos mañana, brama el teniente en medio de una risa estruendosa. Por más que luchan por conservar la posición, otros dos caen en la siguiente hora. Corren la misma suerte. Ogashi no sabe si es el cansancio o la incertidumbre. Tal vez sólo sea lo absurdo de sus circunstancias. Aguanta. Ya no es capaz de contar el tiempo pero supone que los minutos corren a la par de sus temores.

El aullido del viento reajusta sus acordes.

Tanaka pasa revista. Clava la mirada en sus ojos, les lanza el vaho ácido de su aliento. Es apenas un soplo pero basta para causar náuseas en algunos de ellos. Las arcadas son el pretexto necesario para apartarlos. Ogashi resiste a pie firme. No parpadea cuando el teniente está frente a él, ignora el tufo que emana de su boca, piensa en un fin superior al que se aferran los vencidos. Se sostiene. Cuando apenas quedan cuatro en pie, Tanaka hace un gesto con la cabeza. Uno de sus sargentos les ordena sentarse a la mesa. Ahí les sirven una mezcolanza insípida pero suficiente para calmar el hambre. Luego los llevan a la habitación de al lado.

La oscuridad esconde las siluetas que se acurrucan contra una de las paredes. Un tímido foco se enciende sólo para mostrar sombras que se alargan sobre el suelo. El frío vuelve a hacer acto de presencia. Ogashi centra su atención en las figuras que tiene frente a sí. Deben ser apenas unos niños aunque es difícil decirlo. La desnutrición impide calcular su edad. Famélicos, todo asomo de vida se concentra en una mirada de ojos grandes, redondos, occidentales. Las especulaciones no alcanzan para contestar las preguntas. Por eso es mejor ignorar su identidad.

Nadie habla.

Si acaso, Tanaka señala a quien está a la derecha de Ogashi. Sus gestos son una orden ineluctable. Finge no entender para no enfrentarse con lo que se le pide. Los segundos se descuelgan de las telarañas del techo. Luego también se lo llevan.

A Ogashi le tiemblan las manos cuando tira del cargador de su fusil. El chasquido le nubla el entendimiento. Finge que es el frío. Se sopla en las manos. En el exterior, la tormenta arrecia. Cuando apunta consigue no pensar. Tampoco lo hace en el momento en el que su dedo se agarrota en el gatillo, cuando recobra su calor, cuando inicia una presión insignificante que se traduce en una bala atravesando el pecho de uno de los caídos. Un grito ahogado le hace saber que en el dolor se igualan los idiomas. Hasta entonces no se había dado cuenta de su desnudez. Pero la sangre corre en lugar de absorberse en la tela.

Tanaka asiente. Un nuevo gesto y ya es turno del de al lado. Repite la operación sin acertar al blanco hasta el cuarto intento. A esas alturas, el recluta faltante llora hincado en el suelo. Se lo llevan a rastras. Sólo quedan dos.

Ogashi es el encargado de ajustar la bayoneta. Es un concurso perverso pero tiene que ganar. Por eso piensa en lo peor del mundo a la hora de arremeter contra dos de los caídos. Siente la carne desgarrarse, los huesos lanzando esquirlas cuando el metal los traspasa. El chapaleo suave de las vísceras.

Los dos hacen lo mismo. Son movimientos autómatas sin otro fin que acabar cuanto antes. Ya no les interesa otra cosa que quitar el velo a su entendimiento, que terminar con la tarea, que estar de vuelta en cualquier sitio que tenga

cabida para un par de asesinos. Ese sitio es el tercer bloque. Las literas se acomodan en un par
de cuartos, una serie de baños completan las barracas. Es ahí donde Ogashi vomita sus odios
antes de caer rendido sobre una de las camas.
Cuando despierta, un cálido chorro de luz,
acompañado por un gorjeo que no alcanza a tri-
no, le anuncia la llegada de la primavera.

Termino el desayuno, me levanto, doy
vuelta a la barra y lavo los trastos. Aunque es
una labor poco grata, prefiero hacerlo a dejar
que se acumule la suciedad hasta que Cristina
venga de nuevo a limpiar la casa.

Emily y Antonia aún no aparecen y eso
me provoca cierta turbación. Por una parte, no
sabría cómo reaccionar frente a ellas. Emily se
ha confesado y, con sus palabras, hizo que la
culpa se instalara en mis dominios. Una culpa
que se suma a la que me hace sentir Antonia.
Aunque ella haya sido quien propició el juego,
quien actuó con malicia, quien tenía todo planeado, de qué otra forma... lo cierto es que yo
habría dado lo que fuera por pasar la noche
juntos, por recordar el aroma de una piel joven
y tersa, por sentir la turgencia de su cuerpo sin
tener que pagar por ello. En fin, no ha sucedido
de ese modo e ignoro las reacciones que se esperan de mí. Si ni siquiera sé si Emily está al
tanto de mi desliz nocturno. Por eso hasta agradezco que no estén presentes. Aunque, por otra
parte, también las extraño.

Quisiera regodearme un poco platicando acerca de *Bajo la sombra blanca del abedul*. La forma en que Ogashi renuncia a sus propias creencias morales, la manera en que crea una nueva axiología, la vía por medio de la cual justifica sus actos; todo, con tal de salvar su vida o, al menos, apartarla del peligro. Fue una de las partes más aplaudidas de la novela aunque no faltaron críticos que la tacharon de melodrama barato. Me habría gustado conocer la opinión de Antonia. Y la de Emily, por supuesto. Caigo en la cuenta de que siempre hemos hablado de mis obras en términos muy generales, como si los dos fuéramos responsables de su escritura. Cuando las mencionamos, asumimos que conocemos el texto a la perfección, si acaso acotamos algún comentario y dejamos que sean otros los que hablen de ellas. Nunca me ha dicho qué le parecen. Ignoro si le gustan, si se siente identificada con los personajes, si se adentra en la trama o si, por el contrario, las lee obligada por el lazo que existe entre nosotros. Debo intentar hablar con ella al respecto.

Subo a mi estudio para entretener la incertidumbre. No puedo avanzar con mi novela y tengo una fecha límite que debería ser motivo suficiente de angustia. Aun así, no escribo. Ya sé cómo debe acabar y lo único que requiero es un breve periodo de calma, dos o tres días dedicado a teclear hasta que todas las historias confluyan en un final que tenía dispuesto desde el principio. Pocas cosas son las que cambio conforme escribo una novela. A mí no me pasa como a otros escritores que aseguran que los personajes van cobrando vida y toman un camino propio e inexplorado. Yo siempre sé qué va a suceder dentro de toda la historia. De hecho, no empiezo a escribirla sino hasta que tengo todo claro; hasta que los bosquejos y las notas tienen sentido, un solo sentido. Por eso no me preocupo, ya habrá tiempo de "vaciar" todas esas certezas al papel, sólo que ahora hay demasiadas cosas en mi mente como para conseguir concentrarme, para dar con el tono, para no traicionar un estilo que me ha costado muchos años de trabajo.

Aunque tampoco es que quiera dedicarme sólo a pensar en todo lo que me angustia. Prefiero refugiarme en la suave monotonía del entretenimiento fácil. Aprovecho para revisar mi correo. Los más, son mensajes intrascendentes, cadenas, peticiones de ayuda, súplicas por una entrevista y un par de jóvenes que me han enviado sus libros para que, por favor, les eche un ojo, les haga comentarios y, llegado el caso, los recomiende con alguna editorial. Borro todos esos mensajes, algunos antes de abrirlos. Hay periodos en que la fama resulta demasiado agobiante, incluso cuando apenas se alcance a percibir a la distancia.

Me topo con un correo de Rachel de hace un par de días. Su tono es neutro, un poco agresivo; contrasta con su habitual desenfado. Me reclama mis silencios, el que no haya contestado. Reviso la bandeja de entrada con más calma para toparme con otros dos mensajes de ella. Antes de abrirlos me concentro para imaginarla tecleando en su portátil. Desde hace varios años llega a todos nuestros encuentros armada con una computadora. Aunque intenta no distraer el poco tiempo que tenemos para nosotros solos, la he descubierto en ocasiones robándole minutos a su sueño o aprovechando mis salidas para trabajar un poco. La primera vez que la vi hacerlo estuve a punto de reclamarle. Me contuvo un gesto, la forma de su cara, la iluminación proveniente del monitor. Sentada sobre un sofá, apenas cubierta por un albornoz corto, su expresión me cautivó. Poco me preocuparon sus piernas o su desnudez parcial: quedé embelesado por el ceño, por la inmensidad de sus ojos abiertos a tope, por la forma en que se mordía el labio inferior antes de aventurar una respuesta.

La imagen se desvanece cuando abro el primero de sus mensajes. En él se muestra un entusiasmo lascivo ante la perspectiva de nuestro próximo encuentro. Algo que habría bastado para excitarme si lo hubiera leído a tiempo o en otras circunstancias. En el siguiente me avisa que la espera tendrá que prolongarse unas cuantas horas debido a ciertos imprevistos. Adivino que se refiere a su esposo. Rachel hace lo posible por no mencionarlo cuando estamos juntos, incluso lo oculta cuando nos comunicamos por mail. Sin embargo, para alguien que disfruta entrar en detalles resulta extraño que hable de "ciertos imprevistos" en lugar de contar la historia completa. Tampoco importa demasiado. Nunca tuve celos de su esposo. Tal vez porque nunca tuve la intención de establecer un vínculo mucho más estrecho de lo que significan nuestros encuentros esporádicos. A mí me funciona bien y, supongo, a ella mejor. La idea de tener un amante le resulta atractiva a un gran número de mujeres.

Más que por su contenido, el segundo mail me explica el enojo que Rachel muestra en el tercero porque, en otras circunstancias, mis respuestas habrían sido inmediatas. Un correo casi pornográfico habría contestado sus insinuaciones. Otro cargado de dramatismo intentaría paliar los efectos de la espera. En ambos casos, demasiadas palabras funcionando como prolegómenos para lo que nos esperaría en nuestro futuro encuentro. Creo que eso es lo que más disfruto de nuestra relación: los actos son consecuencia de las palabras. Cuando llegamos a los hoteles ya todo está dicho, sólo requiere ser concretado por acciones específicas.

Decido contarle el asalto. Es un pretexto más que suficiente para justificar mis retardos y cuenta con una ventaja insoslayable que no puedo desperdiciar: es real. Mientras lo redacto, descubro lo poco que me entusiasma el futuro cercano. Su simple idea me cansa. Desde la serie de conferencias hasta el sexo planeado con Rachel se me antojan aburridos. Tanto como mi vida cotidiana cuando no tengo visitas. La rutina también se instala en la mesa del que tiene trabajos creativos. Si acaso, tengo la ventaja de parar cuando quiero, de tomar un trago o fumarme un buen puro pero eso no basta para hacer apetecible la existencia. Tampoco la casa a la orilla del mar, la fama o la certeza de que habrá una mujer semidesnuda esperando en la suite de mi hotel dentro de un par de semanas. Ni siquiera el que vaya a ser una mujer a quien en verdad aprecio basta para volver atractivo el panorama.

De cualquier modo le envío el correo. Soy demasiado cobarde. No me atrevo a renunciar a esas rutinas que, al menos, sirven para tamizar la temporalidad en mi vida. Tan fácil que sería mandar todo al diablo, convertirme en un escritor oculto, de ésos que no hablan con los medios durante décadas para poder dedicarse a lo que desean. El asunto radica en ese objeto del deseo. No sé qué podría ser. A la hora de analizar posibilidades una tersa abulia se instala en mis adentros. Es cuando opto por los paliativos, por esos pequeños estímulos que van desde el cigarro hasta Rachel. Todo con tal de olvidar que mi vida placentera no es sino una impostura.

Las voces de las chicas me sacan de mi diletancia. Son el murmullo de una charla cualquiera, sin las disonancias de la algazara ni los susurros propios de la melancolía. El volumen se reduce hasta que entran en mi campo visual del otro lado de la ventana, en una de las orillas de la alberca. Emily voltea hacia donde estoy y aventura un saludo reprimido que contesto sólo para darme cuenta de que no me ve. Están vestidas con pantalones cortos y playeras de tirantes pero no parecen tener la intención de quitarse esas prendas para quedar en traje de baño. Se tienden al sol tal cual están, sin interrumpir una plática que me resulta ajena y me intimida: cada tanto Emily gira la cabeza hacia donde estoy. Nada me garantiza que no soy yo el objeto de sus palabras. Quizá sea por eso que desvío la mirada hacia el horizonte, hasta que consigo perderme más allá de un océano embravecido de turistas.

Me entretengo un rato jugando con la computadora. Prefiero los juegos insulsos, los que no requieren planificar una estrategia y que cuentan con una multiplicidad de niveles. Me resulta mucho más atractiva la idea de ir ascendiendo en el ranking que ganar una batalla que se ha gestado durante horas. Supongo que el ocio es el que me ha orillado a pasar interminables periodos frente a la pantalla. Al menos ahora tengo un par de monitores de excelente tamaño y una silla cómoda que resultan suficientes a la hora de olvidar el continuo mugido del mar del otro lado de la ventana. Un paraíso puede ser sustituido con facilidad por el más pueril de los entretenimientos.

A la hora de hacer un recuento de los juegos, debo confesar que mi historia es variada. Me inicié con los de cartas porque no había más opciones: el resto estaba orientado a un público juvenil al que ya no pertenecía, se necesitaban destreza y velocidad. Luego me interesé en los de estrategia. Pasaba horas intentando una conquista o ideando la manera de ser quien encontrara la solución a los enigmas. Al margen de que me arrebataron el sueño, terminé por aburrirme. Mi capacidad de concentración es limitada, prefiero los estímulos constantes que los problemas prolongados. Soy refractario a los juegos de difícil solución, mi desespero no puede con ellos. Mi única labor a largo plazo son las novelas. Tal vez ellas sean incapaces de convivir con un juego demandante. Por eso los prefiero cortos; los que puedo intercalar con un párrafo o un capítulo; aquéllos cuyo nivel no me toma más que unos cuantos minutos. Su única desventaja es que son finitos o repetitivos y debo descargar uno tras otro de la red. Su gran ventaja es que cada vez existen más y uno puede abandonarlos sin siquiera haber ganado una partida. No hay orgullo o dignidad que sean puestos en duda entre una máquina y una persona.

Intento, por quinta o sexta ocasión, pasar un nivel de rutina sin conseguirlo. Mi mano está lenta, cometo errores simples a la hora de emparejar colores, de hacer encajar piezas. Como buen adicto que soy, me doy una nueva oportunidad. A diferencia de otras ocasiones, cumplo mi palabra. El tedio me impide continuar.

A quién pretendo engañar. Esta sensación física que me recorre la espalda impulsándome a abandonar no es tedio sino remordimiento. Y tampoco era tedio lo que me llevó a elegir uno de los iconos en la carpeta de los juegos. Era una necesidad real de evadirme, de no pensar. Mi inconsciente suele estar convencido de que ignorar los problemas es la mejor forma para afrontarlos; con suerte se consigue que desaparezcan, que terminen agotados a la espera de atención, que simplemente dejen de existir.

No funciona.

Me levanto y recorro mi estudio con la inquietud hormigueando bajo mi piel. Es una ansiedad caótica con sabor a abstinencia. Me detengo frente al ventanal de la izquierda. Busco contagiarme de la serenidad turquesa del oleaje, de la brisa que hincha un velamen a la distancia. Cuando recupero el ritmo de mi respiración me acerco a la otra ventana, a la que da hacia la alberca. Emily está sola, no hay rastros de Antonia. Fuma con estudiada lentitud un cigarro, se entretiene viendo su estela perdiéndose sobre el dibujo del mar.

Decido acompañarla. Al pasar frente a su cuarto escucho un ronquido que suena gatuno, leve, casi imperceptible. Antonia también debe estar agotada. Es un buen momento para estar a solas con mi hija. Hago una escala para servir dos vasos de whisky.

—¿Te molesta si tomo uno? —pregunto señalándole la cajetilla casi llena que descansa en una mesa donde acomodo los vasos.

Emily hace un gesto que interpreto como un asentimiento. Toma uno de los vasos, apenas se moja los labios y lo vuelve a dejar sobre la mesa. Su mirada sigue sin apartarse del horizonte. Enciendo el cigarro dando profundas caladas. De inmediato me ataca una onda placentera que busco prolongar pese a saber lo inútil que resulta. El buen fumador inhala con la esperanza de que cada aspiración le traiga esa leve modorra que, si acaso, se consigue cuando se deja de fumar por algún tiempo. Es una sensación que justifica el vicio en el simple acto de perseguirla pese a que, cuando se alcanza, apenas permanece unos cuantos segundos.

Resignado, me echo sobre la tumbona contigua. La actitud de Emily es una indiferencia rayana en la apatía. Permanecemos callados lo que resta del whisky y un nuevo cigarro abandonando su boca. Una brisa dulce se cuela entre mis ropas secando el sudor de mi espalda y me provoca un estremecimiento que me impulsa:

—Anoche intenté acostarme con Antonia —suelto de golpe, sin preámbulos ni avisos. No sé por qué lo he dicho. Ha sido un impulso, nada relacionado con un acto racional, lógico.

Emily lo toma con calma. Suspira profundo, apura el contenido de su vaso y enciende un nuevo cigarrillo. Me ofrece otro que acepto. Me doy cuenta de lo nervioso que estoy porque mis manos tiemblan, no puedo encenderlo. Emily me arrebata el mechero, gira el pedernal y me ofrece una flama menos trémula que mis ansias.

Voltea a verme, se alza las gafas oscuras hasta ponerlas sobre su cabello, a modo de diadema. Reacomoda su postura, sentándose sobre sus piernas, un poco ladeada hacia el respaldo inclinado de la tumbona. Una inmensidad esmeralda se instala en mis ojos cuando me mira. No parpadea. Con una lentitud que me atemoriza, lleva el cigarro a su boca, aspira, retiene una eternidad y pinta el paisaje con un garigoleo preciso. En ese instante caigo en la cuenta de que es muy hermosa pero ella no me da tiempo para constatarlo.

—Cuéntame qué fue lo que pasó —me dice con una voz enronquecida de sol.

Al principio titubeo, me repito, me siento como esos aspirantes a escritor que suelen preguntarme cómo se le da forma a una idea, cómo se le convierte en relato. Decido que lo más fácil es ir en orden; no busco efectos dramáticos, de poco valen los saltos temporales. Invito a Emily a la sala, al amparo contra el sol. Ella accede sin ganas. No aparta la vista mientras relleno los vasos. Se ha sentado en un sillón individual. Ignoro cómo interpretar sus actos, no sé si está enojada o apenas molesta, su seriedad es insondable. Me siento frente a ella y comienzo a hablarle de lo mal que me sentí cuando contó su visión del divorcio de sus padres. Poco a poco las palabras van adquiriendo consistencia, fluidez. Para cuando llego al asalto hasta me permito ciertos lujos retóricos. Incluso Emily lo aplaude con una sonrisa. Dejo de temerle.

Para cuando termino de contarle a Emily, unas nuevas nubes amenazan tormenta.

Son oscuras, están cargadas y se han detenido sobre la costa, regalando sombras variopintas sobre la playa. Encapotan al cielo de tal forma que la sala se encuentra en penumbra, en medio de un aliento húmedo. El cenicero está abarrotado de colillas y seguimos fumando sin parar. He tenido el cuidado de contar sólo los hechos, de esa forma gran parte de la responsabilidad de lo sucedido anoche recae en Antonia. Aun así, siento cómo Emily me juzga. Clava su mirada en mi persona, actúa con una melódica lentitud que únicamente puede ser crítica. Es como la cámara lenta anticipando la explosión en la siguiente secuencia.

Ésta no llega. Emily se levanta sin decir palabra. Se encamina a su cuarto. Estoy desconcertado. Supongo que evalué mal las consecuencias aunque, a decir verdad, lo hice sin pensar. Lo uno y lo otro. Dejarme seducir por Antonia y confesárselo a mi hija. Pero nadie me puede garantizar que el silencio hubiera tenido mejores resultados. Además, hablar con Emily sobre lo sucedido anoche evita que lo hagamos sobre su infancia, sobre la época en que la abandoné. Vuelvo a llenar mi vaso. Ahora que lo he echado todo a perder, no es tan mala idea emborracharme, perder la conciencia. En cierto modo, claudicar.

Antes de apurar el vaso de un solo trago, Emily regresa. Sus pasos son lentos, silenciosos. Se ha puesto unos pants con los que intenta paliar la ventisca fría que se cuela hasta la sala. Vuelve a sentarse donde estaba. Me observa.

—¿No me vas a servir? —pregunta en un tono desenfadado, sin que se escuchen visos de rencor.

Me apresuro a complacerla. Le sirvo. Vuelvo con su vaso y me reincorporo a mi lugar. Enciendo su cigarro, también tomo uno. Hace años que no fumaba tanto. Anticipo la resaca que me espera pero no me detengo. Ha traído una nueva cajetilla. Contribuyo vaciando su cenicero dentro del mío.

—A grandes rasgos ya estaba al tanto de lo que me contaste pero no esperaba que lo hicieras. Entonces, gracias. No es fácil confesarse y menos cuando se trata de algo así como el padre que le roba su amante a la hija —esto último lo dice impostando la voz, con grandilocuencia.

Intento una réplica que acalla de inmediato, con un movimiento de su mano. Obedezco.

—Espera, déjame terminar. Te decía que reconozco tu valor por contármelo y, a cambio, quiero compartirte otra historia. Una que tiene que ver conmigo y con Antonia, con nuestra relación.

La escucho atento, sin perder una sola palabra del relato. Es tan poco lo que mi hija me ha contado acerca de su vida que no me puedo dar el lujo de distraerme. Me voy integrando a lo que dice, imagino las caras de los personajes y me figuro la historia. De pronto es como si yo mismo la hubiera escrito, como si me perteneciera.

Hace apenas unos cuantos años que Emily entró a una galería de asistente del curador.

Si hago un poco de memoria, puedo recordarlo como su acompañante de hace algunos veranos. Han sido tantos y tan variados que probablemente lo confunda. De cualquier modo, le asigno un rostro. No importa si es el adecuado. Terminaron en pleito y él, en un arranque de dignidad, renunció dejándole su puesto. Fue un duro periodo de aprendizaje en el que privó la desconfianza de la dueña, una rica heredera que no entendía mayor cosa de arte contemporáneo. Emily fue insistente con el asunto de abrir nuevos espacios, de aprovechar la estructura y el reconocimiento público para dar un paso adelante; otros galeristas con mayor visión estaban acaparando el mercado. La dueña se mostraba inflexible. Tanto, que mi hija estuvo a punto de renunciar. Se había cansado de esa batalla sin pies ni cabeza que terminaba con una imposición autoritaria.

Cuando inició la búsqueda de un nuevo trabajo, a inicios del invierno pasado, por fin se le permitió apostar por un pintor un tanto desconocido pero prometedor. Sus cuadros eran una andanada de color bien delimitado por figuras concretas. Instaló la exposición con todo el cuidado requerido, revisó cada uno de los detalles para que se convirtiera en el suceso que fue para la prensa local. El problema estribó en que, durante las primeras semanas, no consiguió vender un solo cuadro.

Antes de claudicar, Emily decidió hacer un esfuerzo extra. Preparó un ciclo de conferencias en las universidades. No era lo habitual pero, al ser un pintor joven, apostaba por convencer a los estudiantes. Quizá ellos pudieran hacer lo propio con sus padres. Sólo una universidad aceptó su propuesta: las agendas estaban saturadas de actividades, se aproximaba el final de semestre y ella no era una académica reconocida. Emily se preparó a conciencia para hablar acerca de los niveles de realidad en el lenguaje pictórico contemporáneo.

Asistió medio centenar de estudiantes. Entusiasmada por esa respuesta, Emily empezó a hablar acerca de la composición de los cuadros, de cómo el pintor se incluía en ellos como agente creador logrando producir un efecto peculiar: el de que el cuadro se creaba a sí mismo. Todo iba muy bien hasta que falló el proyector conectado a su computadora. Por más que lo intentó, no hubo forma de conseguir que las imágenes se proyectaran en la pantalla. Con mucho esfuerzo, intentó transmitir con palabras el sentido de las imágenes pero era imposible reconstruirlas. Así que concluyó un tanto desangelada invitándolos a que conocieran los cuadros en persona. Supo que acababa de perder una oportunidad irrepetible.

Se sorprendió mucho cuando le avisaron que alguien de la universidad preguntaba por ella en la galería. Era Antonia. Al principio le llamaron la atención su estatura, la ropa deportiva y una sonrisa capaz de desarmar a cualquiera pero no guardó esperanzas. Le mostró algunos de los cuadros casi al pasar, sin la pasión que había guiado su discurso durante la conferencia. Antonia lo resintió de inmediato.

—Cuando te escuché hablar de ellos creí que eran mucho más hermosos —reclamó con cierta melancolía.

El dulce reproche surtió efecto. Durante las siguientes dos horas le contagió su entusiasmo por los cuadros. Entonces Antonia dijo algo que terminó por sorprenderla.

—Me gustaría invitarte a cenar… —inició con seguridad.

En cuanto la escuchó, Emily empezó a idear un plan para zafarse de ella. No alcanzó a bosquejarlo.

—… para celebrar.

—¿Celebrar? —dijo Emily pensando que lo único que le faltaba era que le dijera algo así como "por nuestro encuentro".

—Sí, quiero comprar estos dos cuadros, me gustaron mucho. Supongo que podrás encargarte de todo y luego podremos festejar la compra, ¿o no? —y se los señaló regalándole una nueva sonrisa.

Quedaron de verse por la tarde para tomar un café. Emily se curaba en salud, siempre es más sencillo separarse al iniciar la noche que interrumpir una velada. No fue necesario. El café devino en cena. Antonia era una de esas personas capaces de escuchar por horas sin reparos. Para los postres, ya se había enterado de gran parte de la vida reciente de Emily sin haber contado gran cosa de la propia.

—Venga, háblame de ti —le exigió Emily con un digestivo recién escanciado en un lujoso restaurante donde quedaban pocos comensales.

Así fue como se enteró que los padres de Antonia eran ricos sin llegar a los excesos. A ella no le interesaba el negocio familiar de embutidos. Su única pasión era el deporte por lo que se había inscrito en la universidad como un paso previo para integrarse al equipo olímpico. Si bien era cierto que a sus padres no les encantaba la idea, habían accedido con la esperanza de que pronto reencontrara el rumbo. Mientras tanto, depositaban una generosa pensión en su cuenta corriente. Como los gastos de Antonia eran más bien parcos, tenía una considerable cantidad ahorrada y pocos reparos a la hora de gastarla.

—Ahora me queda mucho menos —rió antes de pedir la cuenta.

El restaurante estaba por cerrar y ninguna de las dos quería terminar la noche. Fue Emily quien propuso tomar una copa más en su departamento. Apenas llegaron, Antonia se descalzó y se puso a fisgonear por las paredes. Varios cuadros y reproducciones las adornaban. Se detenía frente a cada uno de ellos con tal intensidad que Emily no pudo sino contemplarla. Recuerda bien que llevaba una entallada minifalda verde, sin medias, una camisa desfajada y una pañoleta. Pensó que su nueva amiga era en verdad guapa y se fue a servir los vasos.

El alcohol y la euforia hicieron su efecto y pronto estuvieron contándose confidencias. Era como si se hubieran conocido desde siempre. Poco importaba que Emily le llevara más de diez años o que tuvieran actividades tan disímiles.

—A mí me gustan las mujeres —contestó entre risas Antonia después de que Emily le hablara de la catástrofe que le significó el más reciente de sus amoríos.

Un manto de intimidad las cubrió de pronto. Emily se sabía heterosexual pero no tuvo reparo alguno a la hora de recibir la primera de las caricias. Tampoco se detuvo a pensárselo bien cuando sintió que el broche de su sujetador caía. Incluso se dijo que era mejor de lo esperado mientras la cara de Antonia se perdía entre sus piernas. Si llegó a tener cierto empacho, fue al llegar su turno de corresponder con acciones pero lo disimuló bastante bien. Una intuición latente le permitió arrancarle gemidos a Antonia.

Cuando, hacia el final de la noche, sus desnudeces se enfrentaron al espejo, el cuadro le gustó tanto que prometió repetirlo más a menudo. Las pieles abrazadas tenían un lustre inaudito. Emily nunca fue de las que preferían las relaciones de una sola noche pero sabía que ésa no tenía futuro. Toda la tersura en el tacto y la sensualidad femenina no se comparaban con el sexo masculino. Al menos no para ella. Aunque, de momento, estaba dolida y había sentido una conexión emocional con Antonia. Así que intentarlo le pareció la mejor de las ideas.

—De eso hace más de seis meses —me explica antes de hacer una pausa. Se estira, va al refrigerador y vuelve con unos bocadillos preparados con prisa.

La emoción inicial pronto se volvió rutina. El descubrimiento de un cuerpo joven y terso le maravilló, pero pronto tuvo la necesidad de un amante masculino. La rudeza en el trato y la tosquedad también tienen sus adeptos. Hay olores que generan respuestas más contundentes que el tibio páramo de una piel humectada con olores herbales. Si bien es cierto que Antonia le seguía atrayendo y que había logrado establecer un lazo emocional cercano al cariño, Emily necesitaba de un hombre y una independencia mayor de la que le ofrecía su amante. El problema era que no encontraba las palabras para comunicárselo. Sabía que iba a lastimarla, que no había forma de que terminaran bien las cosas. Lo que para Emily fue un aprendizaje valioso que bien podría poner en práctica en un futuro, para Antonia era un enamoramiento feroz, arrebatado.

Las manifestaciones eran múltiples y continuas. A la relativa frialdad y las evasivas, Antonia respondía con mimos y regalos no correspondidos. Emily, quien en otras relaciones se había deleitado siendo cruel con sus amantes, descubrió que no podía actuar del mismo modo con ella: era demasiado vulnerable y, en realidad, no había hecho otra cosa sino procurarla. Decidió que lo mejor sería terminar de golpe, sin ambages. Preparó su territorio lo mejor que pudo. Citó a Antonia en un tranquilo café para no enfrentarla en su casa. También armó una gran bolsa con las pertenencias y los regalos para acallar cualquier intento de chantaje. Todo su plan se vino abajo en el instante preciso en que Antonia se presentó en su departamento, unas dos horas antes de la cita. Tal vez fuera la intuición brillante de su feminidad la que la llevó a atajar el golpe antes de que se produjera; algo a lo que Emily no estaba acostumbrada. Antonia traía con ella uno de los cuadros comprados en la galería. Estaba enmarcado con sencillez, evitando opacar el efecto pictórico. En la parte trasera, una breve dedicatoria: "Al amor de mi vida".

—Lo siento, me lo acaban de entregar y no pude aguantarme las ganas de traértelo. ¿Buscamos dónde colgarlo?

Esa tarde terminaron en la cama tras haber probado múltiples ubicaciones. Ninguna las convenció y el cuadro quedó reclinado entre dos sillones mientras ellas se desvestían con prisa. Emily fue violenta al principio, cosa que excitó mucho más a Antonia. Entonces se rindió a la evidencia del placer. Aun así, arrollada entre las sábanas, con la joven desnudez dormida a su lado, supo que sólo tenía una salida: huir.

—El pretexto ideal para hacerlo era la visita que te hago todos los años —continúa en un tono neutro, como si se tratara de la vida de alguien más.

Por eso no me avisó sino hasta la última hora que vendría acompañada, acoto a la narración en voz baja.

Cuando Emily se lo comentó a Antonia fue testigo de cómo un sentimiento puede instalarse de golpe en un rostro. Su belleza jovial se opacó al tiempo que un velo de tristeza cubría su cara. Era otra, por completo desconocida. De la melancolía pasó a la desesperación, a suplicar que no se fuera. Pero el argumento de la visita anual a un padre con quien tiene muy poco contacto aunque mucho cariño es sólido. No es sencillo discutirlo, mucho menos ganar en un terreno extraño. Incluso se corre el riesgo de sonar egoísta e insensible. Antonia optó por una nueva estrategia.

—Entonces llévame —le pidió con tanto entusiasmo que la tomó por sorpresa—. Ya averigüé que es un escritor famoso, hasta he comprado algunos de sus libros.

—Por supuesto que *Bajo la sombra blanca del abedul* estaba entre ellos —concluye Emily con un tono resignado—. Dudo que tuviera intenciones de leerlo hasta que no se encontró contigo, hasta que no le dimos otro ejemplar casi a la fuerza.

—Entiendo —contesto con tranquilidad—, si te sirve de consuelo, avanza rápido. Lo que me sorprende es verlas tan felices a sabiendas de lo que piensas de ella.

—Todo es una impostura. La vida misma lo es. Un juego, si prefieres verlo así. Siempre he estado convencida de que si uno va a fingir es mejor hacerlo en serio. En este caso, apenas si me da trabajo. Tal vez no me expliqué bien. Antonia me gusta, es una chica guapa, ¿o no? Tiene buen cuerpo, es apasionada. Como amante es buena y me ha mostrado un mundo desconocido. El problema es que no me basta.

Si me dieran a escoger, elegiría distanciarme de ella lo suficiente para iniciar una relación pero sin cerrar del todo la puerta. Un poco de promiscuidad no le hace mal a nadie. De vez en cuando se me antojaría pasar una noche con ella, alguna vacación y nada más. El asunto es que ella no ve las cosas así y es una lástima. Sé que, en cuanto regresemos, terminaré con ella y que no será de la mejor forma pero eso no puedo evitarlo. Mientras tanto, disfruto de su compañía lo más que puedo. Es una tregua que me he concedido y pienso aprovecharla.

Asiento con lentitud. Una sensación de amparo se me instala en los ánimos. Ya no siento la culpa carcomiéndome por dentro. Emily se da cuenta porque continúa.

—Lo que más deseo es que se hubieran acostado juntos anoche, me habría resultado tan cómodo —concluye resignada antes de encender un último cigarro—. En fin, no te preocupes. Estos días los disfrutaré a su lado y luego ya veremos.

Emily se ha levantado hace un par de minutos. Ha dicho que deseaba ducharse largamente, que se sentía cansada y hambrienta, que cuando estuviera lista bajaría junto con Antonia para que fuéramos a comer. Asentí dándole a entender que haría lo propio, me pondría ropa más presentable antes de salir. Sin embargo, sigo sentado en la sala. Hay algo de confortable en este lugar, algo que había desaparecido en los últimos días y que me recuerda las razones para vivir en este sitio.

El cielo ha vuelto a abrirse, clausurando la amenaza de lluvia. Una brisa templada se cuela hasta donde estoy, cediendo paso a una laxitud hermosa, de tonos aperlados. El sol no acaba por alcanzarme en su incursión dentro de la sala y ya subo los pies sobre la mesa del centro. Inspiro profundo un par de veces antes de dejarme tentar por un postrer cigarro. Me convence el argumento de que, si no lo fumo, tendría que levantarme de inmediato para no caer dormido. Alargo el brazo sobre los estantes colocados a mi espalda hasta conseguir un cenicero limpio. Sé que es un atavismo sin mucho sentido pero, en mi estado, no tengo la necesidad de reprimir mis manías. Un cenicero sin ceniza es una de ellas aunque la haya soslayado durante las últimas horas.

Lo enciendo. Acomodo el cuerpo en la más confortable de las posturas posibles, alargo mis piernas hasta poner los pies sobre la mesa de centro, percibo a mis músculos estirándose al límite antes de inclinar la cabeza para abandonarme. La tensión se disipa de forma tangible, física. Fumada tras fumada, voy confirmando que mi angustia se ha trocado por algo inasible, una suerte de quietud espesa sobre la que navego sin prisas, casi detenido sobre el oleaje imaginario que me mueve. Hasta ahora, nunca había hablado con mi hija la sinceridad que impuso su confesión. Decir que nunca me había contado nada personal sería un exceso que no dista mucho de la realidad; al menos de la que se inauguró en el momento mismo en que me fui de casa. Antes de que llegara a este periodo vacacional ni siquiera estaba al tanto de su trabajo. He caído en la cuenta de que casi no hablábamos. En sus viajes anteriores venía acompañada por novios que no le daban tregua. Paseaban por la isla, salían durante la noche. Si acaso teníamos unos minutos para nosotros, los gastábamos hablando de su madre, del sujeto en turno, de lo que yo estaba escribiendo. Mi hija se había vuelto una extraña para mí.

Por fortuna las cosas han cambiado. Nuestra plática no sólo me reveló cosas acerca de Emily sino que inauguró una nueva faceta de nuestra relación. Por vez primera veo a mi hija como un adulto que, más allá de los lazos consanguíneos, me resulta atractiva: es alguien de quien puedo volverme amigo y tengo la impresión de que yo también puedo serlo para ella. Con suerte, a partir de este día, nuestros encuentros no se limitarán a una visita anual, a insípidas charlas vía mail o a una casualidad en medio del mapa del continente. Aunque tampoco soy ingenuo. Sé que aún está pendiente el asunto de su infancia, el de mi abandono. No todo será positivo pero no importa. Hemos encontrado la manera de comunicarnos y ése es el punto de partida de lo venidero.

Doy la última fumada con ánimo festivo. El cansancio se ha disipado por completo. Me apresuro hasta mi recámara donde escojo un pantalón crudo y una camisa celeste, ambos de lino, ambos planchados con esmero por Cristina. Los completo con unas sandalias bastante cómodas, que cubren por completo los pies con sus tiras de cuero. Tras una ducha rápida, me rasuro con cuidado para evitar el dolor y hago el ritual íntegro de los afeites. Me perfumo un poco y acomodo mi cabello con algo de cera. El espejo coincide conmigo: estoy como en mis mejores días, sin evidenciar los estragos de las últimas jornadas. Cuando voy rumbo a las escaleras, alcanzo a escuchar el diálogo entre las chicas. Las alcanzo en la recepción donde Emily me recibe con una broma acerca de los hombres que hacen esperar a las mujeres.

—Pero ha valido la pena —asegura Antonia recorriéndome de arriba abajo con la mirada.

Se cuelga de mi brazo disponiéndose a salir. Emily y yo prolongamos el suspenso antes de estallar en una carcajada cómplice. Por primera vez, el cuerpo de Antonia a mi lado no me provoca ninguna clase de excitación y eso me hace sentir bien.

El entrenamiento fue mucho más placentero de lo que había creído. Con su nuevo estatus, Ogashi experimentó el dulce ensalmo de los privilegios: barracas limpias cuyo arreglo corría a cargo de soldados de rango inferior al suyo; más horas de sueño a las que estaba acostumbrado; la camaradería de los superiores; una alimentación consistente y uniformes planchados acumulándose en su estantería de metal. No tuvo ocasión de dar pie a los remordimientos. Hizo lo que se le había ordenado y, si no hubiera obedecido, otro se habría hecho cargo de los prisioneros; eran carne de cañón desde el momento justo de su captura. Esas muertes no pesan en su conciencia.

Volar era una experiencia única que, mientras le cuenta a Kioki, es capaz de revivir sin empacho como el momento más placentero de su vida: hasta imita los sonidos de la nave y extiende los brazos simulando alas. Estar a solas, suspendido en el aire, era la más intensa expresión de su libertad. Si además podía desfogar sus instintos disparando, los reparos se disolvían entre las nubes. Fue tal su entusiasmo que pronto se volvió un piloto experto, superando con creces a sus compañeros. Manipulaba los instrumentos con una naturalidad cercana a la perfección. Sus extremidades se prolongaban a botones, palancas y pedales sin apenas distinguir dónde terminaban unas e iniciaban otros.

Sus superiores no tardaron en reparar en las habilidades de Ogashi. Era un piloto excepcional. Por eso la noticia no sorprendió a nadie. Lo pusieron al mando de uno de los escuadrones que atacaría la base militar de Pearl Harbor. Henchido de orgullo, no cabía en sí mismo; hasta se volvió un tanto petulante. Se imaginaba como héroe de guerra, la pieza fundamental que decidiría el rumbo de los acontecimientos.

Le bastaba cerrar los ojos para vislumbrar su regreso a casa, en medio de una multitud vitoreándolo antes de que Okami se lanzara a sus brazos y su padre, sí, su propio padre, se quitara el gorro para regalarle una reverencia: el honor de la familia estaba a buen recaudo. Ogashi tenía una imaginación fértil dispuesta a fantasear.

Ésta fue la parte del libro que me resultó más complicada cuando la escribí. Demasiados detalles técnicos e históricos que considerar. Leí centenares de páginas antes de hacerme una idea. No fue suficiente. Gran parte de lo narrado provino únicamente de mis ocurrencias, de que la musa en turno depositara las palabras en mis dedos antes de ponerlas sobre las hojas. Si bien la crítica más feroz se ensañó evidenciando errores e inconsistencias en la novela, el público creyó cada una de mis palabras. La ilusión de lo narrado había conseguido triunfar en la partida. Poco importó que los aviones hubieran despegado del otro lado del océano o sobre una multitud de portaaviones anclados cerca de las costas de Hawai, a medio camino entre las dos tierras. Lo relevante era Ogashi, su sentimiento de derrota al enterarse de la estrategia. En su fuero interno rechazó de inmediato la idea de lanzarse en picado contra los buques del enemigo, haciendo de cada uno de ellos munición en lugar de soldado.

De poco sirvieron las arengas aduciendo el beneficio superior, la obligación de servir a la patria. Enterarse de que, en caso de necesidad, tendría que sacrificarse con todo y nave no entraba en sus planes de gloria maquinados tan obsesivamente. No podía dar crédito al entusiasmo de sus compañeros. Si había entendido bien, ante cualquier falla en el ataque o cuando se acabaran las municiones, ellos mismos debían impactarse contra los principales blancos. Su desconcierto llegó al máximo cuando, a nombre de todo su escuadrón, el más destacado de sus hombres le pidió se ofrecieran como vanguardia: sería un verdadero honor ser los primeros en lanzarse contra el enemigo. A esas alturas, la simple idea de arrepentirse en pleno vuelo era considerada una falta suficiente como para ganarse el repudio eterno, la corte marcial y, sin duda, la muerte. Al diablo con la ilusión de volver a casa con todos los honores. El requisito para convertirse en héroe era nunca regresar, ni siquiera en forma de cadáver, dentro de un ataúd.

Ogashi tenía una clara predisposición de ánimo tendiente a exagerar. Para él, las posibilidades se configuraban como una realidad alterna que vivía en carne propia, sufriendo cada una de sus consecuencias. Lo más probable es que alguien con sus capacidades regresara triunfante pero a él le afectaba más el derrotero crucial en que tendría que enfilar a su nave contra uno de los barcos enemigos. Huir o claudicar tampoco eran opciones válidas. Hizo las gestiones para ser de los primeros en surcar los aires. La idea de su subordinado no era mala si se pensaba que el sacrificio mayor sería de los que se quedaran a la zaga. Para su mala fortuna, el plan ya estaba trazado. Debido a sus grandes capacidades de vuelo, su escuadrón había sido designado último. A los mejores se les encomendó la tarea de ser quienes se encargaran de que la masacre fuera absoluta. Ellos debían apuntar a los objetivos menos dañados, a lo que quedara a flote, a los que hubieran sobrevivido a las oleadas anteriores. Así se lo comunicó a sus hombres que, tras la decepción inicial, supieron encontrar nuevos ánimos en su cometido superior: eran los elegidos, eran aquéllos en los que se confiaba para concluir con una misión de proporciones inconmensurables.

La noche previa al ataque se tiñó de angustia. El amanecer no tuvo mejores augurios. En el ambiente flotaba una convicción en los linderos de la locura. Ogashi se preguntó si a su padre no le habían faltado fortaleza y personalidad para educarlo.

Fue testigo de las primeras oleadas invadiendo el cielo antes de subir a su propio avión. Encendió los motores, la foto de Okami adornaba el panel de controles. Despegaron con orden, Ogashi se ubicó en la más absoluta de las retaguardias, intentando resignarse a un destino infausto. Antes de separarse un centenar de metros del portaviones, su nave hizo un giro imposible, todos sus temores se concretaron en la pérdida de control, en el mar techando su mirada. Se apagaron los motores y se precipitó hacia el agua. Apenas tuvo tiempo de abatir el vidrio de la cabina y lanzarse antes de que su avión se estrellara en medio del mar.

Una lancha rápida lo llevó de vuelta a la pista de vuelo flotante. Ahí, conmocionado por su accidente, tuvo fuerzas para exigir que se le asignara otro avión para alcanzar a sus hombres pero ya no quedaba ninguno. El frenesí con que planteó sus exigencias se volvió legendario y fue citado como ejemplo durante años. Su leyenda no pudo ser opacada por el triunfo alcanzado ni por la guerra perdida. Ogashi volvió a su casa investido de héroe pese a que no mató a ningún enemigo en combate. Aun así, su carácter se tornó agrio, difícil de soportar para quienes lo acompañaron por el resto de su vida.

La comida es un remanso que se despliega tras las tormentas. Hemos llegado al restaurante después de un breve recorrido en coche. La temporada turística aún no ha alcanzado su apogeo por lo que es posible elegir una mesa sin esperar demasiado. Éste es uno de los sitios más prestigiosos en la isla, todas las guías turísticas lo ubican a la cabeza de las recomendaciones. También advierten sobre los costos que se generan al comer en este lugar; en algunos casos pueden llegar a ser excesivos, por lo que es recomendable venir preparado. No seré yo quien ponga en duda sus virtudes. El ambiente es relajado, un tanto informal, al menos a esta hora de la tarde; por las noches se vuelve exclusivo y exige cierto cumplimiento de los códigos de la etiqueta.

Pero aún es de día. La luz alcanza a colarse por el enorme ventanal que crea un semicírculo con vista al mar. La construcción está enclavada en la parte más alta de un promontorio casi en el extremo occidental de la bahía, creando la sensación de estar suspendido sobre las aguas. El restaurante está diseñado para dar preferencia a las maderas claras, a la teca sobre todo. La decoración está contenida en un intento por no saturar a los comensales; es elegante y refinada. El lujo se percibe en la sobriedad, en la mantelería de hilo y los cubiertos de plata. También en las copas y la vajilla.

Elegimos una mesa casi al centro del semicírculo. Hay pocos comensales y la separación entre unos y otros permite una plática fluida sin necesidad de alzar la voz. Me siento entre las muchachas, dejándolas a mis costados, con el panorama entero a mi merced. Les señalo con el dedo la zona donde se ubica mi casa, en el extremo opuesto de la bahía. No se alcanza a distinguir, pero es reconfortante imaginar que es posible. No es sino hasta ahora que caigo en la cuenta del hambre que tengo. El regusto amargo del exceso de cigarros sólo contribuye a aumentarla. Pese a ello, nos tomamos con calma la lectura del menú que acompañamos con tragos coloridos y exóticos.

Antonia elige una pasta a todas luces insulsa; Emily opta por una de las especialidades y yo me decanto por un lenguado acompañado de mariscos. Ordeno media docena de entradas compuestas por lo que, en cualquier otra circunstancia, sería calificado de bocadillo. Una fuente con ostras, rollitos, frituras y una variedad de salsas llega apenas después de las bebidas iniciales. Me abalanzo sobre ellas intentando disimular mi urgencia. Para los platos fuertes he ordenado una botella de buen vino.

La charla fluye a través de trivialidades que van desde la técnica de golpeo en el volibol hasta las regatas organizadas anualmente en estos parajes. Evitamos tocar temas que exijan compromiso. Nos carcajeamos con las ocurrencias de Emily, con algunas de sus anécdotas. Hasta ahora la descubro como una gran conversadora. Para cuando hemos terminado nuestros platillos, una nueva botella contribuye a aligerar el ambiente. Los postres son una fantasía dulce al extremo, quizá demasiado para mi gusto. Rompemos el protocolo al aventurar tenedores y cucharitas en el plato de los otros.

El único amago de tensión llega a la hora del café. Hemos salido a la terraza para poder fumar a gusto, no corre ninguna prisa. Me han ofrecido una vasta selección de puros y me he decidido por uno grande y vistoso que durará un buen rato. Si por mí fuera, me quedaría aquí hasta que terminara la visita de mi hija. Pero la ilusión de felicidad tiene perfiles agudos. Un par de jóvenes se acerca a nuestra mesa. Deben ser dos o tres años mayores que Antonia, visten a la moda y detentan la seguridad propia de los que fueron educados en la abundancia. No titubean un solo instante a la hora de dirigirse a mí. Con una serie de frases demasiado elaboradas me dan a entender su interés por pasar el resto de la tarde y la noche con "mis hijas" y me piden mi autorización para hacerlo. Incluso se ofrecen a liquidar el importe del consumo. En otras palabras, buscan que los deje a solas con ellas y no sólo eso, sino que además me vaya agradecido por su generosidad. Percibo cómo se ensombrece el rostro de Emily, que se me adelanta a la hora de responder.

—¿Y nuestra opinión no importa? ¿Qué les hace pensar que deseamos estar con ustedes? —los reta sin ambages.

Uno de ellos sonríe con sorna mientras busca las palabras que necesita. Cuando está a punto de hablar, Emily lo interrumpe:

—Además, este "señor" no es nuestro padre. ¿Verdad cariño? —y se me recarga contra el pecho, abrazándome por la cintura.

Antonia la imita de inmediato y yo me uno al abrazo sólo para percibir el tacto tibio de sus pieles bajo los vestidos. Emily concreta el acto de ilusionismo con un beso en mi cuello y un leve soplido en mi oreja, en una actitud tan provocadora como contundente. Los chicos no estaban preparados para enfrentarse con esto. Aventuran un par de disculpas y reculan con pequeños pasos. A saber con quién creen que se están enfrentando. Esperamos hasta que se han ido para desarmar el cuadro y soltar una carcajada que no logra aliviar el cosquilleo instalado donde Emily me besó.

Volvemos a casa cuando el sol está a punto de esconderse tras el mar, proyectando una serie de reflejos malva que nos acompaña a lo largo de la vereda cubierta de guijarros. Desde donde estaciono el coche a la casa sólo hay que recorrer unos cuantos metros. Disfruto del crepitar de la grava bajo las sandalias. Cada paso produce un chirrido único que se interrumpe cuando somos varios quienes caminamos, haciendo del andar un traqueteo traducido en tierra.

En cuanto entramos al vestíbulo, me despido de ellas aduciendo cansancio y algunos pendientes por atender. No deseo abusar de mi suerte, el ánimo aún conserva resabios festivos pero prefiero no hacer uso de ellos. Además, en realidad me siento cansado. Las emociones han seguido una progresión excesiva para mi aguante. Las chicas remolonean un poco antes de aceptar mi despedida. Ellas se quedarán un rato en la sala, quizá se den un chapuzón bajo la luz de las estrellas.

Me encamino al estudio con cierta sensación de vacuidad, la misma que experimentaba cuando apenas me había instalado en esta casa. Ahora estoy de buenas, es cierto, pero a veces el sentimiento que me embarga es el opuesto. De cualquier modo, el resultado es similar: no tengo con quién compartirlo. A mis escasos amigos los dejé al otro lado del océano hace más de dos décadas. Nuestra amistad se enfrió tanto por la distancia que apenas vino alguno a visitarme en un par de ocasiones. Nada grato ni digno de recuerdo. Tardamos unas cuantas horas en descubrir lo poco que nos quedaba en común tras los matrimonios respectivos, la paternidad, el divorcio, la fama y la mudanza. Terminé aislado.

Aquí tampoco hice amistades. No era sencillo hacerlas al principio cuando sólo el turismo ocasional habitaba las escasas construcciones de los alrededores. Tampoco establecí contacto con los lugareños. Si acaso, la tenue complicidad del que tiene hábitos definidos, traducida en ciertas prerrogativas en los comercios que saben de mis preferencias y mis manías. Nada más.

Salvo que cuenten las relaciones a distancia, a través de Internet. No valen demasiado. Si acaso son una serie de imposturas en las que yo mismo me he descubierto jugando roles ajenos, personificando ilusiones. Me dan la impresión de no ser sino modernas fatamorganas diseñadas para paliar el vacío. Incluso Rachel es una de ellas. Nuestras conversaciones son escasas, se acrecientan cuando se acerca el encuentro y se centran en el cariz sexual de lo que nos espera. Me ha preguntado un par de ocasiones por mi familia; las mismas que no le he contestado. A veces intenta indagar acerca de mis novelas; le respondo con generalidades, con lo mismo que le diría a un reportero cualquiera. Viéndolo bien, tendría que asombrarme por el simple hecho de que Rachel quisiera seguir encontrándose conmigo. Si me quisiera por mis habilidades sexuales, ya podría haberse conseguido a un amante joven e impetuoso.

Soy un refractario del mundo. Durante alguna época me vanaglorié por ello: no necesitar a las personas significa bastarse a uno mismo. Conforme envejezco, caigo en la cuenta de lo absurdo que resulta vivir una vida como la mía. El problema es que no sé hacerlo de otra forma. Entonces me adentro en el proceso de la envidia. El mismo que me ha excusado con Antonia y Emily. Al verlas departir caí en la cuenta de todo el peso de mi soledad. Son pareja, es cierto, pero también son amigas. Disfrutan de su compañía sin ponerse a pensar en ello. Hay un mecanismo de entrega que no alcanzo a comprender y, sin embargo, he escrito bastantes cuartillas al respecto.

Pero yo no soy uno de mis personajes aunque he intentado serlo con bastante éxito en mis imposturas informáticas. No puedo decidir ponerme en contacto con alguien, generar empatía y relacionarme sin pensar en las consecuencias. Hay algo que no entiendo de las relaciones humanas: atisbos que ni siquiera sospeché que existían. Al menos hasta hoy que he descubierto, gracias a Emily, que la vida puede estar sustentada por lazos invisibles, poderosos.

Por eso las he dejado solas, porque quiero a mi hija para mí, a solas. Antonia ha dejado de interesarme, incluso como compañera sexual. Es bella y no seré yo quien lo niegue pero creo que he arribado a un nuevo estadio donde las cosas ya no se sostienen sólo en las pulsiones. Quizá sea producto de la edad pero debo asumir que la vida es algo muy diferente a la simple procuración del hedonismo: ser un sibarita no basta para ser feliz. Ahora necesito impedir que el canal abierto entre Emily y yo se colapse. Preciso que se ensanche, que se vuelva lo habitual y no la excepción. Mientras tanto, es mejor dosificarlo.

Salgo del estudio sin haber prendido la computadora. No he tenido ánimo para sumirme en la impostura; tampoco para agregar cuartillas a una novela que ya debería estar lista; mucho menos para toparme con el reclamo de mis editores, para armar una disculpa o para revisar los itinerarios de viaje que deben estar aguardándome. Salgo con el descanso puesto en mis preferencias. Haciendo un recuento de los daños debo decir que me punza el cuello, su tensión es excesiva, se prolonga a lo largo de mi espalda en espasmos latigueantes. Si me enderezo demasiado, un dolor hueco se alcanza a manifestar en mi abdomen pero es tolerable y se le puede evitar arqueando la postura. Aunque debe ser el único signo evidente del dolor sufrido, mi labio apenas reacciona un poco al contacto, sobre todo si lo remuevo para inspeccionar la bolita que está bajo su superficie. Será mejor dormir.

Me sorprende un silencio cargado de murmullos en cuanto me adentro al pasillo que lleva a mi recámara. Apenas está iluminado por el resplandor de la luna que se cuela por un tragaluz dispuesto al centro, justo a la altura donde cuatro escalones me llevan al nivel más elevado de la casa. Debió ser una sospecha del arquitecto la que coligió que yo prefería hospedarme en todo lo alto; como si estar por encima del resto de la construcción consolidara mi privilegio de propietario. Hay días en que optaría por no tener que hacer el recorrido, parar en un sillón o dejarme caer sobre el sofá de la sala.

Las sombras se deslizan por las paredes hasta descansar en las losetas de barro oscuro, en franco contraste con la retícula blanquecina de sus junturas. La luz descascara las superficies volviéndolas atípicas. Me detengo sin saber de las razones que extienden mi mano hasta el muro de gruesos ladrillos amarillentos; quizá sólo quiera repasar su superficie, corroborar que el efecto luminoso no tiene relación con su textura. Palpo su rugosidad sin encontrarme con las cicatrices que prefiguraban las sombras. Me recargo contra ellas. Permanezco un buen rato así, semi acuclillado, sintiendo las imperfecciones raspándome la piel. Si tan sólo completara el recorrido con mi cuerpo hacia el piso podría quedarme aquí toda la noche. Un espeso manto de relajación se ha instalado en mi interior.

No sé cuánto tiempo pasa antes de incorporarme. Ha sido más el adormecimiento en mis pantorrillas que la voluntad lo que me ha enderezado. Piso con tiento, despacio. Sufro por el flujo de la sangre recuperando su curso. Casi es posible sentir cómo el líquido se reinstala dentro de su cauce. Cuando el dolor se vuelve demasiado intenso, golpeo el suelo. Dos, tres veces. Una idea me asusta. No siento del todo los tobillos. Será mejor tomarlo con calma para no arriesgarme a una fractura. El adormecimiento se despide no sin antes recorrer las plantas de los pies todo a lo largo. Sólo entonces reinicio la marcha, apuro el paso hasta la puerta. La franqueo y cierro por dentro. No deseo otra sorpresa como la de anoche. Ni aunque se cumplieran las expectativas.

Los murmullos se cuelan por la ventana, viajan a través de las paredes, retumban sus ecos en toda la casa. Decido no importunar a las chicas, no irrumpir en su intimidad. Adivino que están en torno a la alberca, platicando y allá ellas. No seré un fisgón. Una debilidad se ha instalado en mis miembros, dejándome vacío, acalambrado y exhausto. Me cuesta optar entre la ducha, el pijama o el sueño. Hago un esfuerzo inaudito por ir al lavabo, me enjuago la boca, me desnudo y me cubro con un albornoz ligero; tras las lluvias, el calor se ha acrecentado. Enciendo el ventilador del techo antes de descubrir que no es sueño lo que busco. El cansancio no permitiría que me refugiara en él. Me acomodo en un sofá reclinable con vistas a la playa, enciendo otro puro enorme que tarda en saber bien y me pierdo en lontananza. Siento cómo la tensión se retira de mi cuerpo en un movimiento reptante y doloroso.

En el momento preciso en que el murmullo se vuelve silencio regreso de mi ensueño, desprendiéndome físicamente de un letargo cansino. Una nueva crispación rompe con el solaz y me incorpora como un resorte. Me basta extender la mano para ver a través de las persianas laterales, las que tienen vista hacia abajo. No se alcanza a ver mayor cosa pero intuyo que, cambiándome al sillón de enfrente, seré capaz de descubrir lo que sucede abajo. Intento convencerme de que mi impulso obedece a una preocupación genuina pero es la curiosidad quien me traslada, arrancándome del relleno mullido y la superficie ligera de la tela, llevándome conmigo el cenicero de metal. En torno a la alberca se cierne una oscuridad ligera, redimida por la luna y un fulgor proveniente de la sala.

Cuando consigo ubicar a las muchachas suelto la persiana. La rendija se cierra por completo y se balancea, dejando pasar apenas una imagen trazada por el movimiento. Me embarga la misma sensación que a un niño que ha sido descubierto. Peor aún, me arrepiento por estar viendo algo indebido. Entonces me confundo. Me debato entre la culpa por entrometerme en una escena a la que no pertenezco y la necesidad morbosa de seguir mirando. Gana esta última.

Antonia ya no está agachada pero sigue tomando los vuelos del vestido de Emily con las manos. Lo va alzando con delicadeza, sin el arrebato que solemos asignar a quien se dedica a las labores propias de la pasión. Son las sombras las que dibujan el cuerpo de Emily, moldeándolo con trazos trémulos. Aun así, cualquier observador estaría encantado de participar del descubrimiento de sus piernas. Son mucho más torneadas que las de Antonia. También tiene un color más agradable, como de cerveza oscura vertiéndose en un tarro. Aunque esos matices son imperceptibles en la penumbra. Si acaso, se puede acceder a un perfil, al ensanchamiento ingrávido de los muslos, a la redondez precisa de sus nalgas apenas cubiertas por el bañador.

Así, de pie como está, la curva de sus nalgas se difumina hacia el remanso de la espalda. A estas alturas, su vientre plano y su cintura logran la armonía perfecta en la que no resulta difícil adivinar el par de hoyuelos insinuados en su cóccix, justo donde acaba la línea del traje de baño. También se advierte la presencia de un ombligo redondo, a fuerza de conocerlo en otras circunstancias: ni el ángulo ni la luz permiten atisbarlo ahora. Si acaso, se puede adivinar su alargamiento vertical una vez que Emily alza los brazos, estirándose primero y encorvándose más tarde para pasar su vestido encima de sus pechos, turgentes y redondeados, antes de perderse ella misma dentro de los vuelos de la falda para luego resurgir completa, imponente.

Es una diosa siendo desnudada, aprestándose para el ritual supremo del placer. Se sabe no sólo por su cabello corto encontrando su acomodo de inmediato. Tampoco por la silueta que me regala un cuarto de giro ni por el breve acomodo del calzón de baño. Se sabe por la forma en que el embeleso cubre la expresión de Antonia. A estas alturas, debe haberla visto despojada de toda indumentaria en varias ocasiones y, pese a ello, su rostro acusa los efectos de la fascinación. Es un arrobamiento atenuado por las sombras pero magnificado por unos brazos que la toman del cuello, acercándola con la misma cadencia pausada de cada uno de los movimientos que dibujan esa danza.

Lo que no daría yo por ser mirado con la intensidad que ellas lo hacen ahora, cuando sus rostros se encuentran tan cercanos, sus alientos respiran frente a ellas. Es uno de esos *instantes que duran una eternidad* de los que hablan los lugares comunes. Un instante que pronto se trueca por un beso detallado en sus etapas. Primero son los labios, apenas encontrándose, como si el posarse unos sobre otros tuviera una tara perniciosa. Siguen ligeros mordiscos. Una boca jalando el labio inferior, probando su consistencia. La lengua de una se topa con las comisuras y se retrae antes de ser alcanzada por la otra. Dos, tres veces. Un juego de salir, allanar y esconderse que termina cuando ambas se encuentran. Entonces las cabezas se inclinan para entregarse al acápite del beso.

Hasta entonces, los brazos de mi hija permanecieron en el cuello de su amante; los de Antonia en la cintura descubierta de Emily. No es difícil imaginar el tacto cálido de su piel, el sudor que se insinúa en el contacto, la estela luminosa que deja el recorrido por su espalda, por la parte exterior de sus piernas, la emoción al juguetear con la posibilidad de pasarse bajo la tela.

Emily parece más cauta. Se deja hacer sin interrumpir el beso. Pero alguna de las caricias de Antonia debió despertar un nuevo proceso. Se arquea un poco hacia atrás, interrumpiendo el contacto de sus bocas. La pausa está anegada por el deseo. Las manos de Antonia se detienen en el remanso superior de las nalgas. Las de Emily buscan y encuentran el nudo atado tras la nuca de Antonia. Su vestido se sostiene de ese punto que va desatando con tiento y trabajo. No puede. Quizá porque no suele ser deshecho; bien podría quitarse y ponerse el vestido por encima de la cabeza.

Emily no claudica. Se aparta del abrazo y rodea a Antonia. Con el reacomodo ella queda frente a mí. Estoy seguro de que no podría verme aunque abriera los ojos y alzara la mirada. Mucho menos si hace lo contrario. Es una imagen que poco recuerda a la sumisión pese a la cabeza gacha y la inmovilidad apenas interrumpida por sus manos detenidas en los flancos de las piernas de Emily.

Desata el nudo. Acompaña con una caricia la caída del vestido. Primero son los hombros. Más tarde sus manos cubren los senos de Antonia al tiempo en que la besa en la nuca. Casi puedo sentir cómo se eriza el vello de esa zona, cómo cada uno de esos minúsculos pelillos se vuelve un detector eufórico del levísimo contacto. Mi respiración se suspende. Retengo el aire como si de ello dependiera que la escena continuara. Es hasta que vuelvo a respirar que el vestido cae por completo, que las manos de

Emily recorren la pálida y enrojecida piel del abdomen de Antonia, que descubro que ella no estaba usando sujetador. Sus pechos apuntan hacia mí, como una ofrenda sensual que no puede sino excitarme.

Emily me está mirando; estoy seguro que lo hace. No es una intuición, es una certeza que se va filtrando en mis adentros. Las dudas quedan atrapadas en la criba, en los murmullos. Emily me está mirando. Lo sé como que es de noche y yo la observo. Es una descarga eléctrica golpeando con toda la intensidad posible para luego retirarse. Me deja inmóvil, rígido con mi descubrimiento. Aterido. Incapaz de aventurar una reacción, y eso es afortunado. Huir no es alternativa. Cualquier movimiento de mi mano o de mi cuerpo redundaría en uno equivalente de la persiana, abanicando franjas de luz hacia el exterior. Para ser alguien que goza del fisgoneo clandestino, he cometido un error por demás infantil. Lo mínimo que se le pediría a un iniciado en estas artes es apagar la luz que pueda delatar su presencia. La que impacta contra mí por atrás, haciendo del ventanal una pantalla, es la más perniciosa de todas. Por tanto, permanecer quieto es una idea mucho más plausible que huir, negar las certezas, desaparecer para luego simular ignorancia.

No sé cómo ha sucedido. De pronto, a mitad de la caricia que me regaló los senos de Antonia, Emily ha fijado la vista en el punto donde me encuentro. Primero ha sido una sospecha aunada a mi intento por negarlo. Es una casualidad que pose su mirada justo en este lugar, podría ser en cualquier otro, la rendija por la que observo es insignificante, el ángulo resulta poco favorecedor a la hora de atisbar. De inmediato la sospecha fue confirmada por una intuición que pronto se convirtió en destello. Es de noche, está oscuro, no es sencillo comprobar la dirección de un gesto y, sin embargo, el brillo de sus pupilas no deja dudas a mitad de la espesura que nos separa. Mucho menos su actitud subsecuente.

Continúa con la caricia. Resbala las manos por los flancos de Antonia, con la suavidad de un poema recitado sin énfasis. Compone toda una loa a su cintura desde la que se alcanza a desprender una ligera aspereza producto del sol y el ejercicio. No importa. Al menos no demasiado. Porque la bastedad que rodea el pliegue bajo sus costillas jamás podrá igualar a la de un hombre. Casi siento el pálpito de mis yemas entretenidas en remolonear en torno a sus piernas firmes, musculosas. Mi respiración se agita al sentir el contacto del amarre que sostiene sus bragas a los lados de sus caderas. Emily se desliza hacia abajo. Se acuclilla, agazapándose tras el cuerpo de Antonia, haciendo desaparecer su presencia en la espalda de su amante. Pero su ausencia apenas dura un poco más que el aliento haciendo su recorrido a lo largo de la concavidad de la columna. Rompe la tensión dejándose ver de costado, juguetona. Se asoma para luego esconderse sin dejar de fijar la mirada, de nueva cuenta, en el punto exacto en que me encuentro. A cada desaparición una nueva risa se anida en los labios de Antonia que se vuelve mascota entregada a los designios de su dueña.

Emily vuelve a ser la pequeña que juega a esconderse de la mirada de su padre. Es el más primitivo de los juegos, el que exige la complicidad del adulto para poder funcionar y que hace honor a la inocencia del niño que en ningún momento piensa que el otro sabe dónde se encuentra cuando se tapa la cara con sus manitas. Emily y yo jugamos, sólo que ambos estamos conscientes del juego. Si acaso hay un inocente es Antonia. Es en ella donde se funda nuestra complicidad. Creo que Emily incluso aventura una sonrisa. Descansa la cabeza en la cadera de su posesión. Uno de sus brazos rodea a Antonia por el talle, baja por sus muslos, mostrándome la clara extensión de sus piernas, el cambio de su textura: más suave cuanto más se acerca a la cintura, mucho más áspero en los pliegues de las rodillas, tosco a la altura de los pies, glorioso cuando asciende por la cara interior. Es ahí donde la piel se derrite al contacto. Cambia de lado. Desaparece de nueva cuenta sólo para regresar a la cita con mi fisgoneo. Yo desaprovecho las oportunidades que me ofrece al perderse tras Antonia para desaparecer. Será que deseo seguir mirando. El pacto de complicidad está firmado.

La recompensa llega en otra de sus desapariciones. Ya no es la niña que cree que el juego puede continuar por siempre. Sabe que debe variarlo para que siga siendo entretenido. Acomodada justo a las espaldas de Antonia, Emily cuenta con más libertad de movimiento. Se entretiene más que de costumbre, segura como debe estar de que yo permaneceré en mi observatorio. Ahora puede utilizar ambas manos sin tener que usar una para equilibrarse. Lo hace para trascender, a un tiempo, la nimia barrera de tela que sostiene las bragas de Antonia por los costados. Las manos de Emily se encuentran entre la tela y la piel, recorriendo la tersura con movimientos circulares. Cuando una de las intrusas llega hasta la zona del pubis, Antonia se arquea. Mi excitación tiene componentes palpables. Me basta ver la escena para sentir la rugosidad de la zona rasurada, el grosor de su vello, la parte donde se vuelve espeso, la promesa de humedad que alcanzo a percibir en su inconfundible aroma. Me acerco los dedos a la nariz para olfatear, para encontrarme con el olor a fruta madura, a acidez, a un coctel hormonal que es imposible rechazar. Me llevo la otra mano a la entrepierna. Mi sexo palpita y se expande, buscando la salida del albornoz.

Cuando mi mano por fin lo encuentra, su hinchazón me resulta un tanto grotesca. Me miro desde afuera: soy un viejo ridículo y lascivo que fantasea con la amante de su hija, que las observa sin descaro, que ha empezado la tarea de masturbarse sin apartar un instante la mirada. El arrepentimiento no alcanza a fraguar, tampoco la culpa. Es cierto, me siento sucio, perdido, de nada vale la complicidad con Emily de no ser que para enturbiar aún más la situación. Pero mi miembro me pide continuar. Hace años que no lo sentía así, con la potencia y fortaleza de antaño. Me contengo unos segundos. Me limito a sostenerlo aunque sus pálpitos me exigen movimiento. Algo que parece imposible de reprimir cuando Emily, sin dejar de dirigirse al espectador concreto tras la cortina, exhibe de golpe la desnudez de Antonia. El juego de luces, la brisa marina, el húmedo olor de la arena y su abandono la vuelven más hermosa de lo que es; egregia, si se permite la expresión. Ella apenas y se inmuta, atrapada como está en el placer venidero que adivina.

Se deja hacer sin empacho, entregada. Se voltea cuando Emily se lo indica con un leve toque en su hombro. Gira con lentitud, como si estuviera modelando, ofreciéndome sus ángulos, la firme contundencia de sus nalgas. Separa un poco las piernas para dejar pasar una mano estirada que allana, profundiza y recorre la suave superficie interior de sus muslos. Se arquea por completo cuando el ascenso es incontrovertible, húmedo. Se relaja cuando Emily se pone de pie sólo para saludarme con un leve asentimiento por encima del hombro de Antonia.

Ya no me quedan dudas: Emily sabe que estoy aquí, observándolas, y ha decidido ofrecerme la desnudez de Antonia como prueba de una nueva etapa de nuestra relación. Quizá intuya, sin estar muy errada, que mi mano inicia un recorrido repetitivo y calmo. Acepto su oferta sin palabras, deslizando con lentitud mi mano; hacia arriba y hacia abajo, hacia arriba y hacia abajo…

Toda la contención mostrada por Antonia a la hora de despojar del vestido a Emily desaparece. Se precipita por las ganas. Se hinca para arrancar el bañador de mi hija antes de perder la cara entre sus piernas. Es entonces cuando deja de mirarme, contagiada por un ardor que debe embargarla desde las entrañas. Por más que lucho por disfrutar del espectáculo de unas nalgas que se me ofrecen en toda su amplitud, no puedo evitar el intento por colar un vistazo entre la luz y la cabeza de Antonia. No lo logro. Pero mi incapacidad no se debe al ángulo imposible o al pudor paterno. Sucede que me pierdo en la contundencia de los pechos de mi hija: exactos, inmarcesibles. Y no puedo evitar concluir que Emily los ha liberado para mí, para el disfrute de su padre.

Todo confluye en un mismo instante. La simultaneidad encadena tres, cuatro, seis, diez eventos; permite extender mi percepción más allá de lo cuantificable. Quién será quien cuente en un estado como el actual. Emily gira para lanzarse al agua, la curva de sus caderas se libera del obstáculo que me impedía mirarla. Antonia se incorpora, ávida de sexo, separando los brazos en toda su plenitud. Ambas se detienen al borde de la alberca, formando un cuadro generoso. Comparo sus siluetas: la estrechez elemental de Antonia, las curvas armoniosas de mi hija; el cálido reverberar de ambas al tomar impulso; ese detener el mundo cuando Emily forma un arco inaudito, regalándome con su cuerpo flotando, con el pliegue pronunciándose en el lugar justo donde coincide con la hendidura de sus nalgas, con sus brazos extendidos hacia el horizonte, con sus senos pendiendo cual promesas, con sus tobillos juntos y su pelo al aire... Elijo a mi progenie por sobre cualquier otra. Elijo su desnudez y mi mano se empaña por el alivio indigno del que desea a su hija con una profusión superior a todas las que se acumulan en el recuerdo.

Me dejo caer contra el respaldo. El cuero del sillón acusa los estragos del calor, de mi sudor resbalando mientras se enfría. Siento cómo mi excitación se reduce entre mis dedos. Decido no ver más por la ventana. No es un prurito moral el que me detiene; simplemente, puedo darme por satisfecho. Si acaso, me distrae el jolgorio ahogado de las chicas que, de tanto en tanto, se revela en gemido.

He consumido tanta pornografía a lo largo de mi solitaria existencia que no me resulta difícil imaginar la escena que se desarrolla allá afuera, en la piscina, lejos del alcance de mis propias limitaciones. Soy capaz de recrear cada una de las ondulaciones en la superficie del agua, las gotas desprendidas por el chapoteo de los cuerpos, el sonido hueco de los drenajes de la alberca. Puedo recrear cada uno de los mosaicos, darles una independencia con la que ni siquiera sueñan, perfilarlos en consonancia con el contorno de quienes flotan entre ellos. Ahora no sólo serán los cuerpos los que se busquen y se recorran; el agua jugará un papel predominante al buscarse al tacto, al palpar la rigidez inaudita de los pezones, al deslizar burbujas diminutas entre las piernas, al enviar a compañeras más robustas a contribuir con el flirteo. El medio acuoso permite posturas inimaginables, imposibles sin su amparo. La flotación frente al rostro permite abarcar en su totalidad a quien va dejando de ser el otro para fundirse en un giro, en una mano exploradora, en un beso reteniendo la respiración. El cabello húmedo o mojado, goteando, es capaz de trazar los deseos sobre el mapa turgente de la piel, lanzar un abanico de pequeñas gotas desplazándose en espiral. Incluso los ojos enrojecidos a fuerza de cloro confieren al rostro un carácter lascivo, gatuno, de quien se entrega y sigue sin estar satisfecho. De ahí que no deje de exigir más.

Pero todo esto apenas y lo imagino, encadenándome a las alucinaciones propias del agua, a los ecos oscuros que produce, intentando separar el rostro de la fantasía; sustituirlo por tantos más que he visto por Internet u hojeando revistas. Si sumara las horas que he pasado frente a estas imágenes, podría encontrarme en uno de los rangos más altos; sobre todo, si no me considerara en el grupo de los adolescentes o los pervertidos. A estas alturas me resulta difícil separarme de este último. La pornografía me resulta inevitable. La misma pulsión que me lleva a agachar con disimulo la cabeza para encontrar el ángulo justo que me regala un par de centímetros más en el atisbo de unas piernas, es la que me ha llevado a comprar revistas por centenares. Si acaso, me contuve un poco mientras estuve casado. No es que hubiera menguado mi deseo sino que me apenaba un poco confesarle mis inclinaciones a Nora. No fue suficiente. En cuanto me mudé a esta casa no hice sino comprar, una tras otra, las escasas revistas que pude conseguir por estos lares. Una periodicidad dominada por su baja frecuencia me obligó a catalogar, a elegir favoritas, a clasificarlas según parámetros no siempre definibles: a veces optaba por una silueta, por una postura o por la sonrisa oculta insinuando una historia; otras, me dejaba llevar por el trazo de unos senos, por el recorte cuidadoso del vello, por la ligereza del bozo entre las piernas.

Sigo siendo capaz de perder horas contemplando una imagen. La fantasía es el único recurso válido para quienes deseamos lo imposible. A la larga, cualquier cosa se torna imposible. Por eso me refugio en historias inventadas. Me dejo seducir por la modelo, me entrego a su lujuria o me someto a sus órdenes. Todo con tal de poseer ese cuerpo tan al alcance de mi mirada y tan lejano a mi realidad. Porque esos cuerpos pertenecen a determinadas personas y ellas no me interesan en lo absoluto. Es más perverso el que consigue construirse un futuro con casa, perros e hijos al lado de su diosa sexual que aquél, como yo, que sólo la desea para satisfacer su lubricidad. Por eso puedo elegir entre varias, seleccionarlas y desprenderme de ellas. No son en absoluto personas sino personajes puestos a modo para construir una aventura con ellos.

Si acaso, se agradece cuando la impresión se convierte en movimiento aunque debo aceptar que no cualquiera. Prefiero un video clásico. Uno de ésos en que la chica camina, se recoge el cabello, se hinca fingiendo pudor, posa, habla con la cámara, nos regala una toma de su espalda y otra de frente, de perfil, con los brazos extendidos, se tiende, exhibiendo con toda naturalidad su desnudez. Se convierte en el máximo objeto posible, ofreciendo sus ángulos, entregándose entera al espectador. Por completo diferente a la pornografía explícita. Mi rechazo es casi inmediato. Nunca he podido asumirme como el hombre que seduce y penetra, que allana y ofrece acercamientos artificiales en posturas irrealizables. Esos dos ya tienen una historia construida, aunque absurda, y mi persona entera no basta para sustituir a uno de los personajes, por muy deseable que pueda parecer la recompensa: los gemidos son ajenos, la lujuria impostada.

Somos imperfectos. Demasiado. De todos los seres que habitan este planeta, somos los más alejados de la perfección. Por más que se intente argumentar, ser pensantes es lo que nos condena. Somos imperfectos y nuestra racionalidad sólo sirve para darnos cuenta de ello, para tenerlo presente en todo momento. No existe equilibrio que no seamos capaces de romper. No hay paradigma que nos resulte funcional. No existen palabras para explicar lo que sentimos pese a que sentimos gracias a que existen palabras. Estamos condenados a aspirar a la perfección pero sólo podremos llegar a ella cuando dejemos de pensarla como algo deseable, cuando nuestra conciencia desaparezca y deje de ser relevante, cuando nos retrotraigamos para pasar a un estadio inferior de la existencia.

He dedicado toda una vida a las palabras, a construir emociones y sentimientos a partir de ellas. Algún crítico favorable alguna vez recalcó que mi mayor cualidad como escritor era que sabía lo que la gente pensaba y era capaz de transmitirlo a mis lectores. Puede ser pero ello no es más que un acto de prestidigitación. Sé que no existen oraciones suficientes para transmitir el dolor o el odio si no es mediante una historia plagada de personajes inventados. Con ellos, el universo se limita. Es posible controlarlos a voluntad, hacerlos decir la frase lapidaria en el momento justo u obligarlos a dar el siguiente paso a sabiendas de que no caerán en el abismo. Toda causa conlleva un efecto pero éste ha sido elegido de antemano. Es la gran diferencia entre la literatura y la vida; entre escribir y padecer. Uno no puede dar un paso sin pagar las consecuencias. Uno no puede volverse personaje y esperar a que las palabras llenen el vacío que se va generando dentro.

Las situaciones límite a las que se enfrenta un protagonista cualquiera no son nada si se les compara con el golpe de adrenalina que sufrí al apartar de nueva cuenta la persiana. No sé por qué lo hice. Siempre me ha intrigado la pregunta que busca averiguar las causas cuando se regaña a un niño o cuando se nos lanzan reproches de cualquier tipo. Nuestro interlocutor asume que conocemos las razones que nos llevaron a cometer determinados actos cuando, lo más probable, es que los hayamos llevado a cabo sin pensarlo. Hay impulsos clandestinos que pronto trazan un arco desde el hombro hasta la punta de los dedos para separar las láminas de madera una postrera ocasión.

Ahí seguían ellas. En la alberca. Emily y Antonia. Con el abrazo desbaratado en un cuadro que no supe interpretar de golpe. Podría ser cualquier cosa: el término de su trasunto idílico, un mero receso, incluso una pelea. No haberlo adivinado de inmediato me obligó a prolongar el espionaje. No fui capaz de reaccionar al darme cuenta de lo que sucedía. Emily y Antonia se habían detenido para llevar sus caricias a un nuevo puerto, a su recámara, a la comodidad de las sábanas, a la suavidad de una cama mullida y tibia. Que esa decisión estuviera dentro de la lógica de su comportamiento sexual o que tuvieran derecho a hacer lo que les viniera en gana es irrelevante.

El asunto estriba en que, por primera vez, he tenido la ocasión de mirar a Emily en la plenitud de su desnudez sin que ella sea cómplice de mi acto. La he visto a placer cuando salía, al subir la escalerilla de la piscina. La he contemplado absorto al recoger sus ropas, hacerlas un bulto amorfo, agacharse y sacudirse. La he visto en cada instante, sin poder apartar la vista de su cuerpo perfecto a fuerza de naturalidad.

Hace horas que las chicas se encerraron en sus aposentos. Hace horas que sus voces y gemidos se apagaron. Hace horas que navego en la noche sin moverme salvo para repetir, una y otra vez, el compulsivo ritual del fumador condenado. Aquel que se rehúsa a dejar de hacerlo porque sospecha, atemorizado, lo que podría suceder si lo suspendiera. La noche se debate con mi insomnio. Luchan en cámara lenta sin ceder un ápice. Soy incapaz de dormir pese al cansancio. Mis manos tiemblan, mis labios tiemblan, mi voz se ahoga en una perorata que busca justificar mis fantasías. Una nube cálida empaña mis pensamientos, instalándose sobre mi frente. Mis ojos acusan la falta de sueño pero, apenas me reclino y los cierro, un resorte se activa para lanzar mi cuerpo hacia arriba. Entonces no me queda más remedio que presionar mis lacrimales a los lados de la nariz con los dedos, provocar un llanto impostado que lubrique mi córnea, exprimir los jugos oculares para que me hagan olvidar el enrojecimiento. Es una presión a un tiempo dolorosa y placentera; una presión dulce.

Me rindo. He caminado por el cuarto, rompiendo la inmovilidad, me he visto al espejo frente a un sujeto extraño y decadente, me he tumbado en la cama y he dado vueltas, me he acodado en el barandal de la terraza y he deseado hacer funambulismo sobre ella, me he reprimido y he vuelto. Nada atrae al sueño. Por eso me rindo. Me tumbo en una de las sillas reclinables en torno al jacuzzi y espero sin desear: el sueño debe vencerme en algún momento, ya llegará sin que yo lo procure. En su lugar, arriba el amanecer. Con una constancia rayana en la necedad, un rayo de luz inicia su lucha contra las penumbras. El cielo va adquiriendo matices mortecinos, el púrpura sustituye a la negrura. El malva aparece como la promesa que anticipa los augurios. Junto con los tonos azulados llegan los primeros gorjeos, una brisa fuerte, una sospecha.

La mañana se ha decantado gota a gota a través del tamiz de lo marengo. A lo lejos, las gaviotas inician su danza pescadora cargada de graznidos. A fuerza de permanecer despierto mi visión se ha vuelto borrosa. También están inertes mis sentidos. No del todo. Entonces están atrofiados o sometidos por el cansancio. Mis pensamientos son confusos. Lo han sido durante la noche, debatiéndose entre la modorra y la vigilia. Ahora, junto con la claridad, una extraña lucidez me hace formar, palabra a palabra, la idea de la que quise escapar por medio del sueño, asustar a fuerza de insomnio. No estoy seguro de pensarla o de decirla en voz alta. El caso es que la escucho con nitidez y resonancia: ayer, cuando vi a Emily desnuda saliendo de la alberca, paseándose alrededor, la deseé con mucho más intensidad que con la que he deseado a cualquier otra mujer.

La deseé tanto que tuve que bloquear todo pensamiento. Porque los seres humanos somos imperfectos, porque yo lo soy tanto o más que los otros. Porque si no fuera racional, me arrojaría a sus brazos sin importar causas, parentescos, relaciones o futuros. La deseé tanto, y la deseo, que podría convertirla en mi única teleología y renunciar al resto de las cosas. Pero no puedo. Al menos no sin culpa, sin dudas, sin remordimientos, sin pensar en términos morales, sin pensar entonces. Pero el deseo también es producto de nuestras palabras y nuestra conciencia. La única salvación posible radica en la renuncia.

A Emily, por supuesto. Pero, sobre todo, a mi deseo por ella. A mi deseo mismo, a la persona que soy. En efecto, estoy aterrado. No me preocupan las posibilidades. Es tan poco probable que suceda algo entre nosotros que el sólo pensarlo resulta ridículo. Sin embargo, lo que me escandaliza es mi propio deseo. Su descubrimiento basta para aterrarme. Cómo no lo estaría si sé que deseo a mi hija. Tampoco importa que vaya a devenir en obsesión. Cuando eso suceda puedo sacrificarme, poner distancia entre ambos, alejarme de ella. Tampoco es probable que vuelva a verla dentro de esos parámetros de belleza. Su desnudez ha sido apenas un atisbo para mí. Y, pese a ello, no consigo arrancar su imagen de mi pensamiento. De poco valdrá así la distancia. Lo que preciso es un escape, una vía para desfogar mis pulsiones, una forma eficaz para olvidarla. No a Emily, al menos no a mi hija sino a su imagen convertida en el objeto de mi deseo.

Dormito poco más de dos horas, tumbado sobre la cama, sin conseguir que el descanso se asiente sobre mi cuerpo, antes de que me despierten los toquidos en la puerta. Son tímidos, cautelosos, ahogados desde el momento mismo de su génesis. Son tan tenues que no sé si son reales o están integrados a una de las secuencias de imágenes absurdas que pueblan mis sueños. Cuando me preguntan, siempre respondo que no recuerdo lo que soñé. No es así. Lo que sucede es que mis sueños me resultan tan inasibles que me considero incapaz de relatarlos. No les encuentro un hilo accional, si acaso hay una sucesión de cuadros en los que el movimiento es la excepción. En ellos bien podría existir esa ligera armonía que se repite, una y otra vez, sobre mi puerta. Decido ignorarla pero persiste. Ha aumentado su frecuencia, también su intensidad. Suena como una pistola de aire disparada sin cesar.

A estas alturas ya no dudo, sé que no forma parte de mis sueños sino de mi presente cansino. También comprendo que debe ser algo importante. De otra forma, habrían claudicado ante la falta de respuesta. Cualquiera habría adivinado que estaba dormido. La insistencia me incorpora. Pese a que logré tumbarme sobre mi cama un poco después de que amaneciera, no fue suficiente. Mis pensamientos son difusos, actúo con torpeza y no estoy seguro del lugar concreto en que terminan mis ensoñaciones. Antes de abrir la puerta, consigo arreglar el estado del albornoz. Es más un reflejo por el frío que una cortesía para quien está del otro lado.

Es Emily. Su aspecto no es mucho mejor que el mío, concluyo sin darme tiempo al constatarlo frente a un espejo. La diferencia es que ella me saluda con una sonrisa. No logra ocultar los estragos del tráfago nocturno ni el desvelo pero, de cualquier modo, se ve hermosa. Yo navego en una bruma pesada, tan espesa que no logro entender lo que me dice hasta que lo repite con lentitud, sin ser presa de la excitación por sus palabras.

—Antonia se tiene que ir —hace una pausa para crear el efecto resumido en mis cejas interrogando—. La han llamado esta mañana para decirle que debe presentarse en la universidad para hace unas pruebas en el equipo de volibol. Al parecer, una de las seleccionadas nacionales se lesionó y están buscando sustitutas. Antonia juega la misma posición que la lesionada. Es una oportunidad que no puede perder: es poco frecuente que llamen a una universitaria para probarse con las profesionales.

—Así que se van —contesto sin inflexiones. No puedo decir más. La decepción me ha ido embargando conforme el entusiasmo de Emily crecía.

—Se va ella, yo me quedo —responde con un dejo de malicia—, a menos que no quieras pasar unos cuantos días a solas conmigo.

Asiento con alegría. Sin comprender del todo el contenido de su respuesta. Asumo que también es una oportunidad para nosotros, la que buscaba Emily para interponer distancia con Antonia, la que he buscado yo para establecer una relación más estrecha con mi hija. Le hago preguntas triviales, relacionadas con el vuelo y cosas por el estilo. Me entero de que no ha conseguido boleto, que está en la lista de espera y que saldrá de la casa en poco más de una hora. Le pido unos minutos para tomar un baño. Ella se ofrece a preparar algo para el desayuno de los tres y desaparece por el pasillo. Tardo unos segundos en volver en mí, absorto como estaba por el desvelo. El mundo se sigue moviendo con lentitud y yo guardo la esperanza de que una ducha baste para reactivarlo.

Cuando alcanzo a las chicas en la cocina ya estoy más despierto. El baño ha operado el prodigio de disipar la neblina espesa instalada en mis pensamientos. Recupero la lucidez aunque persiste el cansancio. Por eso puedo percatarme de que algo no anda bien entre ellas pese a que intentan disimularlo en cuanto me escuchan llegar. Antonia lo hace mal. Finge un entusiasmo excesivo que resulta poco verosímil.

Sobre todo, a la hora de señalar la importancia de la noticia y lo bueno que sería no volver sola en este momento en que está tan necesitada de apoyo. Emily revira haciéndole ver lo difícil que sería conseguir un boleto extra si no hay cupo para una sola persona.

—Además —concluye—, es el único periodo al año en que veo a mi padre. Ya va siendo justo que estemos los dos sin acompañantes. ¿Hace cuánto que no es así?

—Años —contesto de inmediato sin intentar hacer la cuenta de cuándo fue la última vez que sucedió.

—¿Lo ves? Al menos nos merecemos un par de días para nosotros.

Antonia asiente con disgusto. Desayuna poco y se disculpa por levantarse mientras nosotros seguimos comiendo. A cada bocado siento que la lucidez termina por instalarse en mí, pero sé que el efecto durará poco. En algún momento del día necesitaré dormir y lo mejor es que sea cuanto antes.

—Quiero pedirte un favor —es Emily balbuceando con un bocado a medio masticar. Asiento animándola a que continúe—. No quiero ir al aeropuerto, en una de ésas hay un boleto extra que causará una nueva disputa. Prefiero ahorrarme los dramas y las despedidas. Es probable que Antonia ya sospeche algo por mi actitud. La verdad es que me cayó del cielo el que tuviera que irse. Con suerte la seleccionan y nuestra separación no tiene que ser traumática para ella. Aun así, quiero que tú la lleves al aeropuerto y le consigas un pasaje a como dé lugar. Sé que es mucho pedirte pero…

La interrumpo con un movimiento de mi mano. Por supuesto que haré lo que me pida.

—No te preocupes, yo me encargo —respondo con una sonrisa que calma su nerviosismo previo—. Si me permites un consejo, deberías aprovechar para despedirte de ella. Nada ni nadie te garantizan que volverán a verse y, menos, en condiciones favorables. Así que, anda. Yo las espero.

Emily se incorpora. Cierta turbación se percibe en ella. Sin embargo, se acerca para besarme la mejilla y me sonríe como no lo hacía desde su más tierna infancia, cuando solía quejarse por el escozor que le provocaba mi barba crecida. Siento que acabo de recuperar todos estos años que no estuve con mi hija, todo el tiempo que dejé de ser su padre.

Lavo los trastes con parsimonia antes de volver a mi recámara. Un aliento acedo me obliga a fumar de nueva cuenta. La cruda de tabaco sólo se alivia con tabaco. Me lavo los dientes con cuidado, procurando eliminar el sabor de la nicotina de mi lengua. Bajo hacia la sala. En el camino escucho los murmullos ahogados de lo que no puede ser sino una discusión contenida. A los pocos minutos baja Antonia. Se le nota que ha llorado y apenas se está recuperando. Toma aliento antes de dirigirse a mí:

—Emily dijo que me ibas a llevar y ya estoy lista —dice intentando ser cordial aunque se le nota que está al borde de las lágrimas. Imposta la voz fingiendo que todo está bien y agradezco su fortaleza capaz de vencer al llanto.

Asiento. Tomo sus maletas, abro la puerta y las llevo hasta el coche.

Casi no hablamos durante el camino. Los monosílabos de Antonia bastan para disuadirme. No le hago plática, hay pocos temas de los que desee hablar con ella y no estoy en condiciones de ser quien le brinde consuelo. Mejor no intentarlo. Permanecemos en silencio. Decido que es mejor que se pierda en sus reflexiones que inmiscuirme en ellas. Piso el acelerador a fondo y me integro, físicamente, con todo lo que me rodea. El motor apenas hace ruido, el auto parece deslizarse sobre la carretera. Disfruto de la velocidad, de los kilómetros recorridos, del color acerado de la cinta asfáltica, del ángulo de la aguja indicadora. Siento la emoción producto del vértigo, mi cuerpo impulsado contra la suavidad del respaldo. Acelero más. Reconozco el lugar donde me detuve confundido cuando iba a recoger a las chicas. La crispación no llega esta vez. Si acaso, me pregunto qué habría pasado si Emily no hubiera venido con Antonia, si hubiera bajado sola del avión o acompañada por otro amante insulso. No tengo tiempo de responder. Esquivo el tráfico aeroportuario y me estaciono sin pensar más en ello.

Falta poco para la temporada alta pero el aeropuerto ya está saturado de turistas. Al parecer, la isla se ha vuelto un destino cotizado o alguien calculó mal las rutas aéreas y todo mundo está buscando pasajes, para llegar o para salir. El caso es que las personas se aglutinan, caminando sin rumbo, con la esperanza puesta en el próximo vuelo o fundando sus ilusiones en un arribo que no llega. Antonia se forma junto con su impaciencia en una larga fila de viajeros de última hora. Su nerviosismo se traduce en un golpeteo constante de su pie contra el suelo. No hay ritmo, la frecuencia cambia a cada tanto, su tobillo se mueve acorde a su desesperación. La miro a la distancia. Me ha pedido que aguarde sentado. No tiene caso que los dos estemos parados a la espera de una buena noticia. Le podría haber dicho que juntos la espera sería menos larga, más llevadera, pero no tengo ánimos para intentar ponerla de buenas, mis palabras serían todo menos sinceras. Así que hago caso y me siento. Ella cambia el peso de su cuerpo de una pierna a otra, se frota las manos, truena las articulaciones de sus dedos sin importarle que eso acabe por estropearlos junto con el deporte que practica. Su cabello es el último recurso al que acude cuando cree que no la veo. Al menos eso indica su mirada furtiva antes de soltarse el nudo para tomar un mechón y ponerlo entre sus labios.

Su espera me aburre, desearía estar en casa, dormido o contemplando el paisaje. En cambio, estoy en medio de una sala abarrotada de turistas, un poco molesto por el ruido de las conversaciones que no es sino un zumbido indiscernible. Bajo la guardia, me resigno a mi situación y también aguardo a que algo suceda. Ni siquiera me atrae poder observar a Antonia impunemente, amparado por unas gafas oscuras que ocultan mis ojeras. Una de las ventajas de los aeropuertos es que, salvo que se sea una celebridad, nadie repara en el atuendo de las personas; es un sitio que concede la gracia de vestir como venga en gana, no hay críticas ni miradas reprobadoras. A doce metros de distancia puedo verla enfundada en unos jeans poco ajustados y una camiseta holgada. No me parece deseable.

Se ha transfigurado, con sus zapatillas bajas y el mechón de pelo en la boca. Se ha convertido en una niña insulsa e indefensa. Se le nota a leguas la precariedad anímica en la que navega. Prefiero pensar en otra cosa. Por eso busco entretenerme con otros pasajeros, inventarles historias como solía hacer cuando *Bajo la sombra blanca del abedul* inició su exitosa carrera. Aventuro un par de hipótesis: la pareja que se separa porque han decidido que ese viaje será la base donde se cimiente su futuro; el aciago reencuentro de dos amantes que ignoran lo cerca que están de ser descubiertos por una casualidad malsana. Claudico. No me quedan ganas. El sueño vuelve con su oleada rediviva y me dejo llevar por el adormecimiento. Cabeceo un par de veces antes de encontrar un acomodo digno que me permita reposar y me dejo vencer.

No sé si despierto porque intuyo que Antonia viene hacia mí o si es por un ligero alboroto que se escucha a la distancia. El caso es que, para cuando me alcanza, ya he recuperado gran parte de mi lucidez. Nunca he sido de quienes disfrutan de la pereza del despertar. Al contrario, de inmediato estoy alerta, como si hubiera sido programado para ello. Es una ventaja criticable, vaya que lo sé. Por un lado, hay quien dice que así no se descansa, que no disfruto de los momentos más gozosos del sueño, los que exigen desprenderse de él deseando no hacerlo. Por el otro, puedo hacer uso de toda mi conciencia de inmediato, sin el desperdicio de la modorra. Algo muy útil en una situación como la actual, en la que no quiero parecer vulnerable.

—No hay vuelos —sentencia Antonia apenas me alcanza. Su frase está filtrada por la ira, sus labios tiemblan, aprieta uno de sus puños hasta cortar el riego sanguíneo en sus nudillos.

Todo parece indicar que está al borde del llanto. Por más que lucha por detenerlo, los signos son inequívocos. Debo hacer algo para evitarlo. Detesto a la gente que llora, más a la que lo hace frente a extraños. Soy incapaz de ofrecer soluciones a alguien que ya ha decidido abandonarse a la irracionalidad de sus propias lágrimas.

—Debe haber algo —intento conciliar—. ¿Ya intentaste las conexiones, quizá primera clase?

Soy consciente del egoísmo en mi pregunta. Poco me importan sus planes, la selección nacional o el alivio que podría causarle conseguir boleto. Mi deseo se concreta en que no llore, también en su partida. No estoy dispuesto a regresar a casa con ella, con un intruso que rompería la intimidad que, tras tantos años de espera, se precipitará entre Emily y yo. Peor aún, no pienso volver con un intruso que precisará la atención de los que buscan consuelo.

—Sólo hay hasta mañana a mediodía pero, para entonces, ya será muy tarde —me explica con un tono didáctico, tragándose sus emociones, como queriéndome mostrar que ya preguntó, que no soy yo el más interesado por su partida.

Me incorporo. La vida de los escritores exitosos está plagada de viajes salvo que hayan decidido recluirse en un intento por volver mítica su figura. Yo no soy de ésos. Desde el principio de mi carrera acumulé vuelos como quien colecciona trebejos o cromos para un álbum. En un paraje tan pequeño como éste eso genera privilegios. Me dirijo, seguido por Antonia, a un escritorio para clientes preferenciales al que accedo gracias a mi tarjeta de viajero frecuente. Antonia ha cambiado su expresión de enfado por otra de reto, de escepticismo. Hasta parece divertida con la posibilidad de que este hombre viejo y lujurioso haga el ridículo con tal de resolver un problema que no le pertenece. Si no fuera porque está urgida de buenas noticias, estoy seguro de que apostaría en mi contra y se burlaría de mi derrota. Explico con tranquilidad la situación. Un joven muy atento se pierde en la pantalla de su ordenador tecleando códigos indescifrables a una velocidad plausible. Al cabo de un par de minutos voltea a mirarnos.

—Hay dos opciones —nos dice en un tono profesional y amable que no puede ocultar ciertos matices triunfales—. Una serie de conexiones para estar en su destino dentro de dieciocho horas o un vuelo directo en primera clase que sale dentro de ciento treinta y ocho minutos.

Antonia pasa del escepticismo a la emoción. Una llama de esperanza se instala en sus ojos. Es una niña entusiasmada con la idea de un caramelo o un juguete. De inmediato recupera su belleza sólo para perderla de nuevo. La alternativa del viaje en escalas no es viable: la desgastaría demasiado y la haría llegar tarde. La otra es muy cara incluso para quien se puede permitir regalar cuadros originales a su amante. Tiene que ver con su asignación mensual y lo que le queda en su tarjeta.

—Debo hablar con mis padres para que me liberen más crédito —asegura con voz trémula al tiempo que sus manos nerviosas batallan para digitar los números en el celular.

—Debe ser pronto —responde el joven amable— no puedo bloquear por más tiempo este pasaje. Hay otros clientes interesados en él. Necesito una respuesta inmediata.

Antonia termina su llamada. Sabe que, aunque sus padres accedieran, se precisan varios minutos para lograr que el banco amplíe sus capacidades monetarias. De nuevo se adivina un llanto a punto de llegar. Los segundos se dilatan en goterones aciagos. Antonia es incapaz de contener las primeras lágrimas. Sin pensarlo saco mi tarjeta y le pido al joven que cargue el pasaje a mi cuenta.

La última parte de *Bajo la sombra blanca del abedul* se centra en los años tras el regreso de Ogashi a su pueblo natal y hasta el momento en que es recluido en un asilo de ancianos. Tras el reencuentro afortunado con su gente y sus raíces, se integró a las actividades comerciales. Decidió no conformarse con las tareas simples a las que se dedicaba su padre. Al contrario, vio en la derrota de su país a manos de enemigos perversos, la oportunidad para seguir adelante. A la par, no tardó mucho en convertirse en padre. El nacimiento de Anaori, su hija, coincidió con el cumplimiento de varios requisitos administrativos para adjudicarse la tenencia de la planta productora de sal. Fue cuando su vida inició su ciclo rutinario. El mismo que se repetiría una y otra vez a lo largo del transcurso de varias décadas. El mismo que terminó por derrotarlo.

Inflexible como las tradiciones que lo respaldan, Ogashi se levanta al amanecer, incluso antes de que el sol ocupe su lugar en el horizonte contra el que se apoyan los muros de su casa. Inicia sus abluciones matutinas mientras Okami se encarga de preparar los alimentos. Es tan estricto consigo mismo como con los demás. Se lava con agua casi congelada para arrebatarle al frío su fortaleza, cuida de su vestido, ata con fuerza cada uno de los cordeles de sus zapatos, no hay margen para insignificancias. Consume su desayuno sin mediar palabra. No habla sino para despedirse de su esposa acompañando su murmullo con una reverencia que no indica interés alguno en Anaori.

Es el primero en llegar a la fábrica. Sus empleados no tardan en alcanzarlo. Hay rumores asegurando que algunos adelantados se esconden a la vera del camino hasta que pasa para no cometer la imprudencia de llegar antes que él. Abre el viejo portón con las llaves que cuelgan de su cintura por medio de un aro tan herrumbroso como la chapa. La madera rechina, ora por la falta de aceite en los goznes, ora por el calor que agrieta y expande su estructura. Cuando está hinchada de humedad ofrece una resistencia que Ogashi gusta de vencer ya sea por la fuerza en los primeros años o la maña en su vejez. Desde su despacho puede ver la magnificencia del mar, adivinarle sus caprichos con sólo comparar su color con los registros impresos en su memoria, intuir el tamaño de la pesca o predecir las tormentas venideras. No lo hace, prefiere sumirse en sus papeles. Sólo hacia el final de la tarde, cuando el crepúsculo está por cumplir su promesa de nocturnidad, es que Ogashi pierde la vista en el horizonte, convencido de que su mirada es capaz de ubicar el punto preciso donde cayó su avión en las aguas. Es el único momento de debilidad que se permite, la única nostalgia, su único atisbo de sentimiento.

El resto del día contribuye, como tantos otros, a que el Japón recupere su fuerza perdida. Lo hace con empeño, como ningún otro. Es un jefe temible que no acepta fallas ni pretextos. Es capaz de despedir a una madre soltera, viuda de un ex compañero de vuelo, por la simple sospecha de que le roba una pizca de sal cada tanto. No averigua, no pregunta, se deja llevar por los rumores y sus intuiciones. Ha golpeado a trabajadores hasta dejarlos lamentándose en el suelo sólo por haber distraído una mirada, apartándola de las tinajas o los costales. Es un jefe temible pero respetado. No sólo porque las tradiciones japonesas apuntalan su intransigencia. También es un héroe de guerra pero, sobre todo, ejerce su autoridad con el ejemplo. Durante cuatro décadas nunca llegó tarde, tampoco faltó. Siempre fue el encargado de abrir el portón y de cerrarlo, lo que le significaba ser el primero y el último dentro de la fábrica. Por si alguna duda quedara, era el primero en arremangarse los bajos de sus pantalones a la hora de la inundación. No titubeaba en hacer esfuerzos sobrehumanos para salvar la sal ni descansaba nunca. Ogashi era un hombre inflexible sí, pero también ejemplar.

En su casa y en la comunidad actuaba en consecuencia. Dejó que Okami se ocupara de educar a Anaori. Él fue una figura distante a la que su propia hija aprendió a temer. Los juegos terminaban en su presencia. Más de una vez fue testigo de la bofetada estallando contra su madre por culpa de un desperfecto cotidiano tan trivial que no valía la pena mencionarlo. Con los años, el miedo de Anaori se convirtió en rencor. Siendo adolescente encontró placer en confrontarlo. Pero eso era imposible en el campo de las palabras. Si no estaba de humor, Ogashi simplemente ignoraba la existencia de su hija. Entonces lo esperaba blandiendo sutilezas en su contra: el peinado un poco revuelto o, al servirle la cena, derramaba a propósito unas cuantas gotas sobre su pañuelo. En esas ocasiones Ogashi se levantaba mirándola con una mezcla de decepción e ira, a saber cuál peor. Luego se iba a sus habitaciones sin probar bocado ni decir palabra. Para Anaori, la retirada de su padre era la señal más contundente de su triunfo. Si por ella fuera, ya podría caer enfermo de hambre. Quizá así conocería la humildad.

Repitió su comportamiento unas cuantas veces mientras fraguaba nuevos planes para provocar a Ogashi. En su fuero interno deseaba que él la reprendiera: un grito, un golpe o un regaño eran mejores que su silencio. No lo consiguió. Al contrario, tuvo que claudicar cuando se dio cuenta de que quien pagaba por sus desplantes era Okami. El pretexto: ella era la culpable de la actitud de Anaori. Su esposo la castigaba con fuertes mandobles que ella aceptaba con estoicismo, sin decirle nada a su hija para no preocuparla. El golpe consistía en un revés con la diestra que la tiraba al suelo, dejándola lastimada y apenas con marcas. La respuesta era una sumisión cada vez más evidente. Una sumisión que enojaba a Anaori hasta el límite de concretar sus deseos en uno solo: salir de esa casa a como diera lugar y a la mayor brevedad posible. Fue un deseo que prevaleció en sus adentros por varios años.

En el pequeño pueblo, Ogashi también era respetado. Le dieron un asiento vitalicio como concejal. Su fama lo precedía. Era inflexible y sabio, las dos virtudes más apreciadas por sus coterráneos. A diferencia de sus amigos, en las reuniones bañadas por licor conservaba la expresión adusta y, a veces, se dejaba tentar por un vaso pequeño, sin dar pie a una embriaguez que atentara contra su rígido sistema de normas. No conocía los excesos. Al contrario, llevaba una vida ordinaria, sin lujos, pese a que era de todos sabido que su fortuna era la más cuantiosa de la región. Si acaso, se permitía hacer sustanciosos donativos a la comunidad que, a fuerza de costumbre, consideraba sus aportaciones como obligatorias. Tanto, que en un año difícil prefirió apretarse el cinturón antes de reducir el monto de sus contribuciones.

Ogashi se fue encerrando en una burbuja donde sólo tenían cabida él mismo y sus pensamientos, insondables para todos los que no habitaran el espacio mínimo donde él se encontraba consigo. Ni siquiera se dignó a contestarle a su padre cuando lo increpó. Fue contundente con su respuesta:

—No tengo por qué hablar de eso contigo ni con nadie. Si deseas que te siga respetando, será mejor que no insistas.

Fue inevitable que se alejara de todos sus amigos. Conforme su éxito aumentaba, su humor se volvía más ácido a grados tales que hasta en las reuniones familiares se respiraba la tensión. Nadie osaba importunarlo. Las únicas conversaciones que sostenía se basaban en órdenes y reclamos: a sus trabajadores, a su esposa, a cualquiera que estuviera a mano. Ya nadie se acercaba a él por voluntad propia.

De ese largo periodo de transformación, Ogashi puede recordar, al tiempo en que narra a Kioki, pocos momentos excepcionales. En su tono de voz se percibe el arrepentimiento. Duda un poco antes de atreverse a hablar. Cuando por fin lo hace, su garganta se cierra por la emoción, las palabras apenas consiguen filtrarse para dar cuenta de ellos.

El primero fue la muerte de su padre. Recibió la noticia a media tarde, cuando faltaban algunas horas para terminar la jornada laboral. Mandó de regreso al mensajero con un puñado de monedas, esperó a la hora del cierre y, sólo hasta entonces, se dirigió a la casa paterna. Por fortuna la semana hacía su pausa dominical al siguiente día. Se instaló impertérrito para tomar el control de las cosas con una frialdad absoluta. Su sola presencia pareció matizar los estragos que el dolor provocaba a los deudos. Fue un funeral sobrio y sin aspavientos. Ogashi no derramó una sola lágrima por su padre. Se acomodó al lado del cuerpo y clavó la mirada en todo el que se acercaba. Era un reproche implícito de tal magnitud que cortó de golpe las lamentaciones y los llantos. Al lunes siguiente llegó al trabajo unos minutos más temprano que de costumbre y aprovechó para regañar a los que se aparecieron con retraso.

Mientras se lo cuenta a Kioki por fin se decide a derramar las lágrimas atoradas durante casi una veintena de años. No las reprime. Al contrario, les abre un cauce de arrepentimiento intentando reconciliarse con la vida. Cuando un enfermero va para decirle que es tarde, que debe regresar a sus aposentos, Ogashi se deja hacer. Ha abandonado su habitual sevicia para obedecer sin reparos. Sorbe ruidosamente y se deja conducir, manso, hacia el interior, prometiéndole a Kioki que al día siguiente continuará hablándole de esos momentos que, hasta ahora, comienza a entender.

Apenas se reacomoda bajo la sombra del abedul, Ogashi continúa contándole a Kioki su historia. Las sombras de las hojas contribuyen a crear una ilusión de movimiento y la brisa crea una atmósfera apacible apenas interrumpida por las palabras. Toma aliento tras haber recapitulado lo que le dijo el día de ayer, suponiendo que Kioki, en su estado, es capaz de comprenderlo; más aún, de hilar una narración monótona aunque cargada de exabruptos. En esta parte, aderecé la personalidad de Ogashi volviéndolo un personaje tendiente al drama. Como se había guardado todos sus secretos a lo largo de tanto tiempo, cuando por fin los comparte con alguien, lo hace de un modo demasiado expresivo, gesticulando y manoteando;

incluso grita y lanza alaridos de desesperación. La falta de respuesta de su nieto no lo detiene. Al contrario, parece empujarlo en sus confesiones, animarlo a que sea más explícito, más visceral. Por fin puede decir todo lo que ha callado a lo largo de su vida.

Ogashi recuerda de manera fragmentaria, quizá porque no les dio la importancia que merecían los acontecimientos. El caso es que, un buen día, al regresar del trabajo, se encontró en su sala a Okami, Anaori y un joven nervioso que le fue presentado como Akake. Era el pretendiente de su hija. Ogashi no se esperó para enterarse que estaba terminando sus estudios universitarios, que sus intenciones eran buenas, que su familia lo apoyaba; tampoco lo escuchó decir que había ido para que autorizara el noviazgo ni que estaba dispuesto a cumplir cualquiera de sus exigencias. Sus únicas palabras fueron una petición para que abandonara su casa. Lo dijo con una voz firme, sin matices, tan diferente a la que ahora utiliza para contárselo a su nieto. Luego esperó a que el joven se fuera no sin antes intercambiar unas miradas pletóricas de sentido con Anaori. Se sentó a la mesa en cuanto se cerró la puerta y aguardó a que le sirvieran la cena.

Okami había convencido a los jóvenes enamorados de que la paciencia era el mejor recurso para ablandar a su esposo. Ella misma lo creía con sinceridad. Sin embargo, los reveses y la grosera respuesta de Ogashi cada vez que lo intentaban, bastaron para desesperarlos. Anaori no entendía a su padre por más que hacía el intento: estaba haciendo las cosas como dictaba la costumbre y sólo se topaba con su indiferencia. ¿Por qué su padre se negaba a aceptar sus peticiones y, no sólo eso, sino que, además, no daba explicación alguna? Si al menos hubiera hecho un amago por justificarse, aconsejándole nuevos derroteros, haciéndole ver los defectos de Akake, ella estaría en condiciones de entender. Pero el silencio de su padre la desconcertaba por completo. Hizo un par de intentos más antes de claudicar. Aunque su rendición fue todo menos eso.

De nuevo se topó Ogashi con la presencia de Akake en su casa a la hora de volver del trabajo. Iba igual de elegante que la primera vez y también cargaba en los brazos el tributo con que pensaba obsequiar a su futuro suegro en caso de ser bien recibido. De nuevo Ogashi le pidió que saliera, sin inmutarse por el regalo, el atuendo o la presencia. Era como si se estuviera deshaciendo de un insecto molesto o una plaga. De nuevo el joven se dispuso a hacerlo, con la cabeza en alto, suspirando de forma audible. No sucedió. Anaori se interpuso entre su pretendiente y la puerta para sorpresa de todos, incluida ella misma.

—Padre, debes dejar que se quede. ¿De qué otro modo esperas conocer al que será tu yerno? —suplicó en un tono humilde y respetuoso al tiempo que se prosternaba.

—Dile a tu hija que no me interesa conocerlo, que no lo apruebo, que me disgusta...

—la voz de Ogashi apenas podía ocultar el efecto de haber sido interpelado.

—Si no estamos haciendo nada malo —interrumpió Anaori—, no como ustedes…

La alusión a su pasado sacó de sus casillas a Ogashi. ¿Cómo había hecho su hija para enterarse de la afrenta que lo obligó a casarse con Okami?

—¡Que se largue! —prorrumpió avanzando amenazador hacia Akake que no hizo amago de moverse, envalentonado como estaba por la actitud de su pretendida.

Anaori se interpuso entre los dos hombres.

—¡Si él sale de esta casa yo me voy con él! —amenazó sin medir la magnitud de sus palabras.

Un silencio espeso se instaló en la sala. Okami temblaba de miedo, Ogashi de rabia, Anaori de odio y Akake de impotencia. Con una calma terrorífica, Ogashi dijo antes de sentarse a la mesa:

—Le suplico que se vaya, de otra forma no podré tener mi cena. Y, por favor, llévese consigo todo lo que le haga falta. No me deje aquí nada que no me pertenezca.

A los ojos de los demás, nada había cambiado con la huida de la hija de Ogashi. Si acaso, los rumores se extendieron por todo el pueblo pero sus habitantes tuvieron cuidado de que él no los escuchara. Seguía fiel a sus rutinas, a los trayectos recorridos en la mañana y al anochecer, en la exigencia constante a sus empleados.

Ogashi apenas levantó la vista cuando Okami le comentó que los chicos se habían casado gracias al apoyo de los padres de Akake. Se lo dijo con la esperanza de que se viera obligado a ser partícipe, si no de la felicidad, de sus responsabilidades como suegro. No lo hizo. La ignoró tanto como cuando le hizo ver que habían vivido separados hasta el día del matrimonio, que no había afrenta alguna al honor de su familia. No se dignó a contestar. Tampoco le dijo nada cuando le avisó que iba a ser abuelo y se negó a conocer a Kioki cuando nació. Si acaso algo se modificó en su actitud, fue que le dio permiso a su mujer de irlos a visitar una vez por semana. La ilusión con la que Okami hablaba del pequeño se topaba de frente con el silencio del hombre. Dejó de contarle y pronto volvió ella misma al ensimismamiento habitual. Se negó a darle señales del entusiasmo que la embargaba cuando se acercaba la visita o de la tenue melancolía que le implicaba su regreso. Más que por un matrimonio, esa casa era habitada por los silencios.

Ogashi estaba preparado para permanecer impertérrito frente a cualquier circunstancia salvo una: Okami enfermó. Sus dolencias tenían un origen difícil de identificar pero la dejaban postrada en la cama, incapaz de cumplir con las obligaciones de toda una vida. Ni las enfermeras contratadas ni el doctor haciendo dos visitas diarias fueron suficientes para salvarle la vida. Como si fuera una repetición de la muerte de su padre, corrieron a avisarle hasta la fábrica y él volvió a esperar hasta la hora del cierre para dirigirse a su casa sólo que, esta vez, lo hizo con pasos cansinos. Encargó a las amigas de Okami todo lo necesario para el funeral y fue a encerrarse en sus aposentos, sin haber probado bocado.

Dos días más tarde, él encabezó el cortejo fúnebre en el cementerio.

Para la escena del funeral tuve que investigar más que para cualquier otra. Quería regocijarme con los detalles por nimios que pudieran parecer, no escatimé con ninguno de ellos. Conseguí una descripción de cerca de treinta cuartillas en la que daba cuenta de cada uno de los pasos exigidos por un ritual tan solemne como ninguno. Hablé de vestimentas, de los colores, de la forma de amarrarlas por la espalda, del papel asignado a cada uno de los asistentes. Hice que cayera una nevada ligera, con copos que tardaron en tocar el suelo y las hojas de los árboles sin macular la ceremonia. Reproduje cánticos incomprensibles, melodiosos y monocordes, plagados de silencios y sollozos. Permití la seriedad de los asistentes, su voz entonando una plegaria enlazada con la brisa que soplaba tenue, apenas para despeinarlos sin que llevaran sus manos hasta el cabello. Dejé que Ogashi se comportara a la altura de su duelo pero sin lágrimas, presidiendo lo que, a fin de cuentas, también era un evento social como cualquier otro.

En pocas palabras, me perdí en las minucias para crear un relato que casi no encontró disidentes. Ni siquiera la crítica más despiadada puso pegas a ese capítulo, el más bello del libro. Sólo comentarios positivos recibí de mi recreación de un funeral japonés. Mis sentimientos hacia ese capítulo siempre han estado en conflicto porque no sé cómo orientarlos. De todos los apartados de *Bajo la sombra blanca del abedul* fue el que menos requirió de mi imaginación y eso poco me gustaba. En esa época, y aun ahora, prefería fallar con los detalles que dejarme vencer por el rigor de la realidad. El acto de creación debe ser libre, sin las restricciones impuestas por investigaciones y documentos. Hacerlo implicaba renunciar a un deseo, el de construir el mundo que uno ofrece al otro para habitarlo. Bien habría podido, entonces, escribir un ritual diferente, inventado. Añadir elementos al imaginario colectivo resulta tentador. Sin embargo, era preciso que le fuera fiel a los hechos verificables. De ahí mi otra forma de ver al capítulo. Funciona como una transición, como un puente entre dos estados cargados de intensidad. Al perderme en los detalles sin dar pie a cuestionamientos mundanos o a pruebas de atestación, consigo que el lector se adentre en el texto: creo una serie de distractores inestimable a la hora de dar el siguiente paso.

Ogashi se encontró de frente con Anaori y Kioki cuando estaba por abandonar el cementerio. Incapaz de conservar la mirada en la tierra del sendero, incluso le da tiempo de enfocar a la distancia a Akake, quien ha preferido mantenerse alejado.

Anaori tiene una actitud humilde transida por el dolor que le significa la muerte de su madre, le dice Ogashi a Kioki en una parte de su discurso anegada de susurros. Le está contando del momento justo en que se conocieron, cuando él todavía era un hombre fuerte y su nieto tenía toda su vitalidad oculta tras una sombra de miedo. Un miedo provocado a pulso, un miedo nacido del respeto reverencial y del desprecio. Ogashi los miró con asco antes de corregir el rumbo algunos pasos hacia la derecha. Anaori intentó detenerlo, anticipándose como un obstáculo que no puede evitar pero su padre sólo respiró profundo antes de escupir al suelo. Un escupitajo casi seco que cayó a los pies de Kioki quien, de inmediato, saltó hacia atrás, arredrándose, sólo para resguardarse tras los vuelos del kimono de su madre, con el terror diluyendo la inocencia de su carita.

Ogashi dio un paso más antes de que Anaori se apartara, dejándole libre el paso a un hombre que no merecía otro intento. Era mejor quedarse ahí, a la vera de su padre, tomando la mano de Kioki y llorar. Llorar en silencio y a raudales. Llorar por la muerte de su madre y llorar por la muerte de su padre.

Ogashi tardó cerca de dos semanas en darse cuenta de que no le restaban ánimos para continuar. La vida le era demasiado pesada, le resultaba absurda, vacía. Sin que fuera capaz de reconocerlo con palabras, la ausencia de Okami le resultó fulminante. Era inútil continuar yendo a la fábrica; no había razón alguna para hacerlo. Su disciplina irrestricta y su orden ya no tenían sentido. Así que lo liquidó todo, regalando el negocio, en partes iguales, al ayuntamiento y a sus empleados. Fue el único gesto de generosidad que hizo en vida y, sin embargo, por él se le recordará como un hombre bueno. Apenas se quedó con una cantidad suficiente para pasar el resto de su vida recluido en una casa de reposo para ancianos sin familia.

El último día que trabajó fue casi una calca de todos los que le antecedieron a lo largo de cuatro décadas. Llegó temprano, antes del resto de sus empleados que ya aguardaban agazapados en las márgenes del camino. Se instaló en su oficina y despachó varios asuntos con la diligencia acostumbrada, sin permitirse la melancolía. Pese a que esa jornada fue casi idéntica a las demás, a la hora de evocarla frente a Kioki, a Ogashi le resultan evidentes las diferencias, incluso escandalosas. Una tras otra se acumulan como el lastre que lo obligó a claudicar. No desayunó, sus alimentos no fueron preparados por Okami, tuvo que aceptar comida de fuera y, también, tomó más sake del acostumbrado.

Hacia el final de la tarde estaba borracho. Miraba el mar buscando, con la esperanza perdida, el punto aquél en que fijaba sus ánimos cada tarde. Cuando creyó encontrarlo, empezó a hablar con Okami. Era una diatriba endurecida, casi un reclamo. Pronto devino en justificación. Le habló de las dificultades de la guerra, de sus primeros muertos y de cómo se había ensuciado las manos con sangre de inocentes; su trabajo no era sino un remedio para no pensarse a sí mismo aniquilándolos. Quiso exculparse argumentando que todo lo había hecho por la patria, Japón necesitaba a sus mejores hombres y, por eso, consiguió destacar; el culpable era quien lo había ordenado, nunca quien obedecía. Desde esa perspectiva, no era sino un héroe, el más honorable de todos, dispuesto a arriesgar su vida a cambio de nada.

El licor y las emociones casi cegaron su garganta. Sus cuerdas vocales apenas emitieron un murmullo cuando le confesó a Okami que, en realidad, había sido un cobarde que no se merecía el más mínimo de los honores. Él había lanzado su avión contra las aguas, a propósito, arriesgando una salida precipitada a resguardo de su paracaídas antes que verse obligado a estrellarse contra el enemigo. Su vida le era más preciada que su patria. El futuro más prometedor que la muerte. Nunca imaginó que terminaría siendo el que era. Tras salir disparado de la cabina y volver al buque, el resto fue fingir. Fingir una descompostura. Fingir la suerte de su propio rescate. Fingir el deseo de tomar otra aeronave a sabiendas que no había disponibles. Fingir que era un héroe y lo aceptaba con calma. Fingir ante todos salvo ante sí mismo. Por eso su temperamento. Porque era incapaz de perdonarse y, también, de confesarlo. Él no tendría el temple para soportar el repudio. Era mil veces mejor refugiarse, levantar un muro que lo protegiera de los demás. Nunca sería vulnerable, nunca estaría en condiciones de confiar a alguien su secreto.

A la confesión siguió una disculpa sincera aunque menguada por los efluvios del alcohol. El llanto corría junto con sus palabras. Sin embargo, éstas no corrían a la par de sus intenciones. Una diatriba confesional no basta para exculparse. En ningún momento se le ocurrió que podría encontrar la paz al lado de su familia, reencontrándose con Anaori y Kioki, incluso con Akake. Sus palabras fueron las de un borracho que salió de la fábrica en la madrugada, sin cerrar con llave, sólo para terminar tirado en el suelo de sus aposentos.

Al siguiente día la resaca se sumó a sus ánimos cansinos y él mismo se encargó de su inscripción en el asilo. Juntó unas cuantas pertenencias y se hizo de un cuarto para él solo. Ahí su humor se volvió más rancio. A diferencia de los demás internos, Ogashi no albergaba la esperanza de una visita o algún evento grato. Tan sólo subsistía, aguardando que llegara el momento de su propia muerte. Al menos, hasta que recibió la noticia del accidente, de la orfandad de su nieto y de que a su vida aún le restaba futuro.

Decido acompañar a Antonia mientras espera. Sé, por experiencia propia, que los minutos previos a un vuelo que se antoja prometedor suelen ser demasiado estresantes como para pasarlos sin compañía. Ella ha documentado todo su equipaje salvo un bolso pequeño y sólo resta aguardar a que dé la hora en que aborde y termine su aventura insular. Me doy cuenta de que sé más cosas sobre su futuro que ella misma. Al margen de lo que suceda con el selectivo nacional, Antonia habrá perdido a Emily y eso es algo que no debe rondar por sus pensamientos.

En el peor de los escenarios posibles puedo imaginarla, sin dificultad, desesperada o furiosa por haber fallado en la prueba. Hasta soy capaz de recrear su poco tino a la hora de improvisar un remate o su falta de sincronía para bloquear el golpeo de sus oponentes. Casi la siento claudicar antes del último salto, el que podría haberla clasificado pero no pudo elevarse lo suficiente. Entonces estará aguardando por consuelo. El consuelo de la amante que no volverá con ella. Emily intentará explicárselo al teléfono. Antonia prestará oídos sordos, gritará, armará un escándalo que terminará en el momento justo en que mi hija cuelgue el auricular de su lado. Al menos para ella. Antonia seguirá con su berrinche. Un reproche injusto se le irá atragantando en los ánimos. De nada valdrá que la increpe, que la culpe, que le reclame por su tiempo o sus regalos: Emily seguirá inflexible, sin siquiera plantearle la posibilidad de una relación abierta en una llamada posterior. A esas alturas habrá comprendido que no hay nada peor que las fantasías de un despechado cuando se trata de planear cómo hacer daño al que se ha ido.

Mi imaginación se detiene antes de indagar en las consecuencias inmediatas del rechazo y el abandono. Quizá Antonia pierda el semestre, deprimida o, tal vez, lo vivido le sirva como acicate para salir avante. Dependerá de su temperamento. Hay quienes viven para continuar y quienes viven para resignarse. Da igual. Para ser sincero, la perspectiva con que me he entretenido mientras ella ha ido a conseguir café me causa un poco de lástima. La aparto por completo cuando la veo venir, concentrada en el precario equilibrio de los vasos. Su figura se acerca alegre hasta donde estoy, me tiende el envase de polímero y se sienta a mi lado. Caigo en la cuenta de que, para un observador externo, entretenido en perfilar las historias de quienes le rodean, bien podríamos representar el papel de un padre con su hija antes de viajar o antes de la despedida lacrimosa porque se alejarán por mucho tiempo.

Sonrío ante la ocurrencia. Sobre todo, cuando descubro que Antonia ya no me resulta atractiva en lo absoluto, que representar el papel no me causaría mayor trabajo. Platicando de trivialidades voy sintiendo cómo el alivio se expande en mi conciencia. Ya no siento culpa. Antonia ha dejado de ser la mujer atractiva y la joven deseable; se ha enfundado unos pantalones que impiden me distraiga con el trazo de sus piernas musculosas; se ha despojado de toda la sensualidad de la que hiciera gala aquella noche en el jacuzzi o las mañanas previas en que corría por la playa; incluso se ha desvanecido ese ligero halo de maldad por medio del cual jugó conmigo. Ahora sólo es la imagen de una niña indefensa que agradece contar con un padre protector o, al menos, con alguien que fue capaz de resolver su problema de inmediato.

Aún tengo café en mi vaso cuando el aviso de abordaje interrumpe nuestro silencio de varios minutos. Antonia rebusca en su bolsa con la serenidad de quien confía en que las cosas caminan por un cauce favorable tras haber padecido las posibilidades más aciagas. Para quienes tendemos al pesimismo, más vale no entregarse a alternativas amigables, el temor a ser decepcionados es una sombra demasiado oscura como para aventurarnos bajo su amparo.

—Supongo que no te negarás a firmarme el libro —me dice tendiéndome *Bajo la sombra blanca del abedul* con un pulso trémulo, sorpresivo para quien practica un deporte.

Observo el acomodo del separador casi al final de la novela. Le faltan apenas una treintena de páginas, menos del diez por ciento. Antes de decir cualquier cosa, Antonia se anticipa.

—Te prometo acabar durante el vuelo. Aunque creo que ya leí lo más fuerte, el secreto de Ogashi.

Suelo ser indulgente con mis lectores, por eso no le digo nada. De poco serviría y, además, tengo una ventaja que poco me ennoblece. Abro el libro en la página de la dedicatoria. Me encuentro con mis palabras perpetuadas para Emily y Nora. Las mismas que se han conservado pese al cambio de editores, a las reimpresiones y a los amoríos. No soy de esos autores que revocan sus palabras en cuanto cambian de pareja. Esta novela la he dedicado más de mil veces, estoy seguro, y en cada ocasión, he sentido una ligera nostalgia al encontrarme con el hombre que fui, el mismo que creía que el amor es para siempre. Negarme a que mis editores cambien mis intenciones es un tributo que me hago hacia el pasado, en retrospectiva.

No tengo que esperar demasiado para encontrar las palabras. Dedicar un libro es cosa seria. Sobre todo, cuando se acumulan filas interminables frente a uno en una presentación o feria. Se debe tener el cuidado de no repetirse en lo absoluto o de hacerlo sin concesiones. Permitir que haya uno especial entre un centenar idéntico es tan grave como el que dos amigos encuentren que sus libros están dedicados con una frase trillada y repetida. Por eso resulta más sencillo con quienes conocemos, a quienes en verdad queremos decirles algo. Escribo: "Para mi muy querida Antonia, quien me ha revelado los detalles más inaccesibles de la belleza". Me pregunto qué pensará en un futuro el lector que se encuentre este ejemplar en una librería de viejo. Seguro construye una historia que servirá para volverme mítico.

Lee su dedicatoria y sonríe con complicidad. La frase es tan clara como confusa, sujeta a toda suerte de interpretaciones. Ella y yo, si acaso Emily, somos los únicos que podremos conocer su verdadero sentido. Abre los brazos ofreciéndome una despedida que también es un cese al fuego, ya no habrá hostilidad entre nosotros, todos los reproches quedan en el recuerdo. El abrazo se prolonga más de lo necesario, como aquél que se dan quienes reniegan de la separación. Siento a su cuerpo respirar junto al mío. Ella insiste en quedarse arropada contra mí. Antes de separarse, se da tiempo para acercar su boca a mi oído. Alcanzo a pensar que puede ser la última de sus insinuaciones, el postrer regalo que me deja para mi deleite. Me enorgullezco de ser inmune a ella. Por eso es que tardo en comprender lo que me dice:

—Ella ha estado enamorada de ti toda la vida.

Cuando comprendo el sentido de sus palabras, una cadena de preguntas se agolpa en mi mente. Pero Antonia ya no está para responderlas. Se ha separado del abrazo y ha huido rauda. De ella sólo queda el contoneo dirigiéndose hacia la zona de los abordajes y la estela que ha dejado en mi vida y en la de mi hija.

Permanezco dentro del Mercedes antes de encenderlo. Estoy varado en medio del intenso tráfico de los que entran y salen del aeropuerto. Si no fuera por el calor, por la insuficiencia de las ventanas, podría quedarme aquí por horas, con la vista perdida en el dibujo caprichoso de las nubes o entretenido en las peripecias de los que transportan más equipaje del que pueden cargar por sí mismos. Salgo del estacionamiento en automático, pregonando una cortesía producto del desconcierto. Voy a una velocidad inferior al resto de los automovilistas. Varios pitidos y cambios de luces me obligan a tomar el carril de la derecha, aun así no falta quien me increpe. Manejo en un estado de sopor incrédulo. Cruzo el largo puente que separa la isla de tierra firme como si lo hiciera sobre un espejismo que permite el tránsito encima de las aguas. Una vez que llego hasta la costa, opto por la derecha, por el camino largo, el menos frecuente para quien se dirige a mi destino.

Muy pocas veces he hecho este recorrido, pero necesito dejar de pensar y conducir es una buena alternativa. Lo que habitualmente me llevaría unos diez minutos bien puede prolongarse más de una hora y, no conociendo la ruta a la perfección, debo concentrarme, ser cuidadoso con cada uno de mis movimientos. La vialidad más importante de este lugar está construida en torno a la isla, es un periférico extenso que sirve para paliar un impedimento geográfico: en su centro la isla es intransitable. A los urbanistas se les hizo más sencillo el rodeo que allanar una zona pantanosa que se extiende a lo largo y ancho de varios kilómetros cuadrados. Las fotos satelitales muestran la actividad humana circunscrita a una dona en cuyo centro la vegetación sigue reinando. Sólo una pequeña porción es habitable. Es una franja que bien podría definirse como anillo la que da cabida a todas las personas. El resto ni siquiera es apto para investigadores o amantes de la naturaleza en su estado más extremo. Si uno recorre, como estoy haciendo, el bulevar completo, puede descubrir cómo el panorama cambia en la misma proporción que las viviendas asentadas frente al mar.

En las antípodas de mi residencia está la zona menos privilegiada. Las casas de los pescadores apenas pueden considerarse algo más que pequeñas palapas que carecen de agua potable y drenaje. Son un oasis entre la civilización, defendido por las costumbres ancestrales de los primeros habitantes. Son, sin embargo, los que se ubican frente al mar abierto, sin caletas ni radas que medien entre ellos y la belleza. En esta zona su inmensidad regala tonos profundos de azul oscuro, plúmbago. A esta hora del día, las barcas ya descansan sobre la arena y, supongo, los pescadores han llevado su producto hacia la zona urbana, donde se gesta un intercambio inconcebible en otra época. Entre éstas dos, se ubica una serie de casas idénticas que alojan a los empleados de los hoteles y los comercios. Conforme más se acercan a la zona turística, mejor debe ser el puesto de sus habitantes. Lo mismo sucede respecto a la distancia entre las construcciones y la costa. Pero esto no se hace evidente sino hasta que se llega a los fraccionamientos. Tener una casa en la parte en que vivo, con un acceso directo a la playa, es un privilegio que muchos envidian. Estoy situado en la gran bahía, al extremo más occidental de ella, el opuesto de donde se han instalado los grandes hoteles. Entre ellos y yo, sólo hay un enclave comercial que pretende ser la copia de un pueblito de la campiña francesa. Es la zona con mayor densidad poblacional, con más ajetreo. Aun así, he creado la ilusión de que disfruto mucho vivir por estos lares.

El largo recorrido ha sido satisfactorio. Mientras veía pasar las construcciones y las palmeras, logré olvidarme de las palabras postreras de Antonia. Ahora que llego, su recuerdo llega de golpe pero logro paliarlo, cansado como estoy. Estaciono el coche con cautela. Me bajo tras haber aspirado profundo varias veces. Cada exhalación es una renuncia que debo vencer con una nueva bocanada. Cuando por fin entro a la casa, me recibe el silencio. Recorro las habitaciones y los pasillos con cautela, procurando no hacer ruido, sólo para descubrir un nuevo motivo de alivio: Emily duerme. Verla así, tendida sobre su cama, con el vuelo del vestido un poco enrollado en sus piernas me causa una confusa sensación de ternura que se debate con la pulsión de buscar otro ángulo para observarla impunemente. No lo hago. Su sueño me recuerda mi cansancio. Me voy hasta mi recámara sólo para intentar dormir a sabiendas de que no conseguiré sino una duermevela agitada e inconclusa.

En contra de lo previsto, dormí bastante bien. Despierto a mitad de la tarde con una sensación de descanso que hacía mucho que no me embargaba, como si cada uno de mis músculos y mis tensiones hubieran decidido hacer una tregua para atenuar el cariz que me acompaña desde hace días. Me acicalo un poco antes de bajar al vestíbulo donde encuentro a Emily. Va y viene por toda la cocina, cual hacendosa ama de casa. Me saluda con un beso en la mejilla y me informa que está preparando algo de comer. Me siento en la barra para verla manipular los utensilios tras haberle ofrecido una ayuda que rechazó. Está ocupada en hacer coincidir los tiempos de una pasta larga y unas vieiras gratinadas.

—Me tomé la libertad de tomar tu coche para ir a hacer algunas compras. Supuse que despertarías con hambre, yo misma estoy que no me aguanto —me explica al tiempo en que interrumpe sus labores para descorchar una botella de vino blanco.

Debe haberlo comprado en su excursión por viandas porque no recuerdo su presencia en mi cava. Al servirme, la copa se empaña con la temperatura del vino traslúcido, cosa que me sorprende porque se ha enfriado demasiado pronto, a menos que lo haya comprado ya frío. Tiene un sabor dulce, ligeramente afrutado. Si fuera un conocedor hasta podría distinguir cada una de las moras que habitaron la barraca previo a su filtrado antes de llegar a su guarida. Cierta placidez se instala en mis adentros, rebullendo a la altura de mis sienes. Provoca un ligero cosquilleo en la parte superior de mi cabeza y en la zona de mi nuca, propio de cuando a uno lo hacen sentir especial. Ser consentido no sólo resulta una emoción grata, también proporciona una serie de reacciones físicas que no pueden reproducirse a voluntad. Incluso suelen desaparecer por mucho que uno se esfuerce en prolongarlas. A mí esa sensación se me ha disparado en momentos que pueden calificarse como insólitos. Basta con que algún dependiente me atienda con especial deferencia para que la piel de mi cuello se erice. Sin embargo, es imposible recrearla incluso cuando una corte de aduladores me rodea.

Por fortuna, ésta persiste: ver a Emily manipulando el contenido de los sartenes, la charola en que coloca las vieiras antes de esparcirles queso para meterlas al horno me resulta no sólo placentero sino novedoso. Sorbo a sorbo soy testigo de todo el proceso. Cuando la campanilla del horno avisa que la cocción está en su punto, lanza una combinación de especias sobre la pasta y la baña con una salsa tibia. Apenas hemos hablado. No quiero interrumpir el ensalmo. Su concentración le frunce el seño, le dibuja una arruga justo entre las cejas que se profundiza al escoger los platos. Sirve con cuidado, tal como lo haría un profesional, pasando el trapo por los bordes para retirar las gotas que lo maculan. Resultan ser dos platones oscuros que contrastan con el contenido blancuzco apenas salpicado con chispas de verdor.

—Anda, ayúdame a llevarlo a la terraza —interrumpe mi ensueño con una sonrisa. Quien la observara tendría que concluir que está feliz. Se le nota en la cara, en sus movimientos, en un ligero rubor causado por el calor de la cocina y en su ánimo festivo.

La sigo hasta la terraza llevando la botella, las copas y los cubiertos. Ella porta un vestido corto, estampado, que une su vaivén al contoneo de sus pasos y al arrebato de la brisa. Afuera el cielo es límpido, de un azul cargado de promesas. Nos sentamos uno al lado del otro, teniendo de frente la playa. La arena nos ofrece tonalidades áureas que se diluyen con el remojo de las olas, dejando una superficie húmeda y opaca. Chocamos nuestras copas para brindar. Luego Emily me ofrece su platillo con un gesto, dándome la pauta para que inicie, para que le dé el visto bueno o lo rechace. Las vieiras se desmenuzan al contacto. No tienen la firmeza habitual y cualquiera diría que es un error pero tienen un sabor poderoso que se empareja con la textura de la pasta. La combinación es un acierto que el paladar agradece.

—Ignoraba que cocinaras tan bien —la elogio mientras ella prepara su primer bocado.

—Hay muchas cosas que no sabes de mí —responde con la boca oculta tras la servilleta. Termina el movimiento limpiándose las comisuras.

Propongo un nuevo brindis por el gusto de recuperar el tiempo perdido y por los descubrimientos por venir.

—Y por la partida de Antonia —lo acepta Emily creando entre nosotros un sentimiento de complicidad recién inaugurado—. ¿Hubo muchos problemas en el aeropuerto?

Hago una breve reseña de lo sucedido sin omitir ningún hecho relevante. A Emily le divierte el énfasis que pongo en los cambios de ánimo de su amante. Incluso le cuento sobre mis especulaciones en torno a su futuro.

—Eres un sádico perverso. Un perverso heroico. En fin, te agradezco mucho que lo hayas resuelto. No quería ser yo quien tuviera que enfrentarse con que algo saliera mal. Mucho menos tener que partir con ella o volver a casa acompañada. Considera esta comida como el pago que mereces por haberla alejado de mí. ¿Dijo algo más? ¿No me mandó un mensaje?

De nuevo la crispación recorre mi espalda. Tomo un largo trago de vino, me sirvo más. Niego con la cabeza antes de repetir las últimas palabras de Antonia:

—Cuando me abrazó para despedirse, justo antes de soltarme y darse la vuelta para abordar, me dijo que siempre has estado enamorada de mí.

Emily se queda en silencio, inmóvil. No estoy seguro de las razones que me llevaron a confesarle esto. Los segundos pasan a través de una clepsidra taponada. Luego ríe con estruendo.

—¿Y cómo no iba a estarlo si eres el hombre más maravilloso del mundo? Aunque mira que te has hecho del rogar —responde con un tono cercano a la euforia, como restándole importancia a su aceptación.

Luego vuelve a su plato para dar cuenta de su contenido. Yo la imito sin mediar palabra.

La comida ha dejado de lado su regusto de exquisitez y, a cambio, se unta en mi paladar con un rastro acedo.

Recogemos los trastos mecánicamente y los dejamos para que los lave Cristina cuando vuelva. Descorcho una nueva botella. Esta vez de un tinto maduro con destellos especiados. Alcanzo a Emily en la sala. Eligió un sillón individual donde se ha sentado con las piernas cruzadas. Ha presionado el vuelo de su vestido entre ellas para no dar pie a las contemplaciones. De cualquier modo, me regala con la visión torneada de sus rodillas y de buena parte de sus muslos. Tomo asiento frente a ella. Le alcanzo una copa que sorbe con inaudita lentitud.

—Es extraño, tú debes saberlo bien porque seguro te pasa más seguido —titubea, elaborando una frase por demás confusa—. Cuando uno logra traducir a palabras lo que siente resulta una revelación. Entonces todo comienza a tener sentido. Ya no sólo es una duda o una suposición que navega en nuestras emociones. Y es mucho más contundente cuando esa sospecha nos ha acompañado por años, involucrándonos en un juego de valores entendidos, de venganzas, celos y, por qué no, tabúes con los que hemos aprendido a vivir tras enfrentarnos a ellos y negarlos y volverlos a aceptar.

"Si te soy sincera, desde que te mudaste a esta casa he dado bandazos entre lo que siento respecto a tu persona. Y eso sólo en el transcurso de un año, ni qué decir de cómo ha cambiado mi percepción de las cosas desde hace dos décadas. Las temporadas previas a mi visita están maquilladas por las dudas. Salto de la emoción que me significa verte a la certeza de que yo no represento tanto para ti como tú para mí. Luego viene una visita que siempre resulta breve, poco satisfactoria y está revestida de una indiferencia disfrazada de entusiasmo. No por nada es la primera vez que hablamos en serio. Me parece que siempre has tenido miedo de involucrarte conmigo, de abrir un cauce por medio del cual podamos conectarnos. Por último, con mi partida me queda un sentimiento de rencor e impotencia: una vez más fuimos incapaces de comunicarnos, de aprovechar el tiempo juntos. Esa idea de que nos respetamos porque no cuestionamos nuestras decisiones o porque no nos entrometemos en la vida del otro no es sino una falacia, una mala justificación de nuestras propias incapacidades. Mi vuelta a casa, a la mía, es la temporada más penosa del año. Tardo en recuperar la vitalidad que me caracteriza, ando macilenta y tardía hasta que, de nuevo, el ciclo se repite."

—Pero hace años que vienes acompañada —intento justificarme achacándole la responsabilidad.

—¿Acaso no lo entiendes? ¿No sabes por qué, desde que puedo, nunca vengo sola? —su voz se ha quebrado. Toma un largo trago que vacía su copa, la vuelve a rellenar antes de explicarme a detalle sus razones.

Emily estaba un tanto nerviosa. Aunque el vuelo había sido tranquilo y sin contratiempos, no pudo concentrarse para leer, mucho menos para dormir, ni siquiera tuvo ánimos para enfrentarse a las revistas proporcionadas por la aerolínea. A su lado, Norman estaba perdido en un sueño sin sobresaltos, que ella le envidiaba. El sueño de los justos, pensó reflexionando que, en dado caso, ella pagaba con insomnio sus malas intenciones. Cómo era posible que él no mostrara ninguna señal de tensión cuando estaba a punto de conocer al padre de Emily. Daba igual su fama producto de los libros publicados o cierto cariz con que ella lo había descrito. El gran problema, la razón de sobra intimidante, es que todo apuntaba a que Norman y Emily compartirían la misma recámara. A los ojos de ningún padre está bien visto que su hija adolescente se acueste con su novio. Pueden disimular, es cierto, fingir que entienden, que no hay nada más normal y su liberalismo se vuelve el argumento irrefutable. Sin embargo, se puede vivir con esa idea siempre y cuando descanse en la sospecha. Incluso es posible mostrar indignación, escandalizarse o estallar en un ataque de cólera si se les descubre en flagrancia.

Emily había ido más lejos, mucho más. Le avisó que viajaría acompañada de su novio con quien proseguiría sus vacaciones una vez abandonada la isla. En el corolario de la frase quedaba de manifiesto que dormirían juntos, su padre no era tan inocente como para suponer que sería de otro modo. Quedaba, pues, el asunto de la convivencia a lo largo de esa semana. Como la casa sólo tenía dos habitaciones, se anticipó a las conjeturas de su padre, a cualquier amago por intervenir en la disposición del espacio: "Dormirá en mi cuarto". No quiso añadir un "conmigo" que volviera cínicas sus intenciones. Había dejado la pelota en la cancha de su anfitrión. Ya sería él quien decidiera si, a cambio de la cesión de los aposentos, él le daba refugio en la suya. Sus palabras al otro lado de la línea telefónica la dejaron peor que como estaba: "Está bien, aquí los espero". La incertidumbre ante la actitud de su padre, ante su posible respuesta una vez que ambos hubieran llegado era lo que la tenía nerviosa al grado de no poder concentrarse.

No tuvo motivo de preocupación. Los recibí con el semblante tranquilo en el aeropuerto, sin evidenciar atisbo alguno de malestar. Fui amable y pronto ya bromeaba con Norman. Era un buen muchacho que, estoy seguro, tenía lo necesario para resultarles atractivo a todas las chicas de su edad, sobre todo si se iba a exhibir en la playa, cosa que terminó haciendo con un entallado slip, un bronceado perfecto y una sonrisa.

Conforme Emily me cuenta su perspectiva de los acontecimientos, no puedo evitar intercalar la mía, juntas cuentan la historia desde una visión mucho más global y me permiten entender lo que verdaderamente sucedió. Sus palabras han servido para hacerme ver que estuve en lo cierto cuando supuse que su actitud, su aviso sin ambages, no eran sino una provocación. Ella apenas tenía diecisiete años y no sólo me anunciaba que su vida sexual había iniciado, sino que lo hacía con desparpajo, dirigiéndose a mí más como a un amigo que a un padre. Me convertí en alguien a quien le avisaba y no a quien le pedía permiso.Confieso que no supe qué hacer en un primer momento. La sorpresa suele causar más estragos que el hecho mismo. Todo me molestaba. Desde el simple hecho de que viniera acompañada. Hombre o mujer, novio o amiga daban igual: ella se había atrevido a incorporar a un extraño en la ecuación consistente en nosotros dos solos, había allanado nuestro refugio, esa breve tregua que nos apartaba del mundo. Para empeorar las cosas, el intruso era un novio que dormiría con ella. Es difícil saber cómo actuar en lo que a educación se refiere, ¿se debe ceder o ser firme, imponer nuestra cosmovisión o estar abierto a la del otro?; mucho más cuando sólo se es un satélite que orbita lejos de la esfera de la autoridad.

Mi molestia inmediata soslayó una punzada de celos que ahora sé equiparar con esa crispación que me ronda cada vez que Emily se vuelve el centro de mi vida. Ya los había experimentado en viajes anteriores. Los chicos se perdían en la contemplación de Emily cuando ella paseaba por la playa pero no era otra cosa sino el hecho de que estuviera creciendo. Yo no era insensible a la belleza que mostraba. Cada arribo al aeropuerto, cada bikini más revelador, cada falda corta y entallada, cada actitud, guiño y flirteo me hacían ver que mi hija se estaba convirtiendo en una mujer hermosa que además sabía hacer gala de ello. Así que los celos me proporcionaron una tregua para poder pensar qué haría respecto a Norman. Decidí no hacer nada, actuar con naturalidad era la mejor de mis estrategias, al menos hasta donde alcanzaba a ver. Si ellos dos tenían una vida sexual activa, mis reparos no la iban a interrumpir, mucho menos si ya tenían pensado continuar el viaje en solitario. Si acaso, conseguiría que Emily se enojara conmigo y eso no estaba dentro de mis planes, bien podría ella anticipar su partida. Ha de ser maravilloso contar con diecisiete años y poder encerrarse en una recámara propia, sin clandestinidad ni ocultamientos, para ejercitar las incipientes artes amatorias, pensé ya resignado. No dije una palabra al respecto pese a que se me ocurrieron muchas frases cargadas de efecto. Ni siquiera le pedí que se cuidaran porque supuse que lo harían. Pero no iba a recibir la gratitud que creí merecer.

Para Emily, la indiferencia de su padre fue el más cruel de los mandobles, aderezado por su venia y sus silencios. Tanto, que se mostró huraña pese a los intentos de Norman por contentarla. Tampoco es que fuera demasiado bueno. Salían a la playa donde pronto se hicieron de algunos amigos entre los jóvenes que también aprovechaban el verano para ir a las casas de descanso familiares. La playa se llenaba con la alegre algazara de la juventud. Norman tomaba algunas cervezas, bromeaba, corría y nadaba por completo integrado al grupo. Era de los primeros en mostrar su entusiasmo a la hora de escuchar cualquier clase de propuesta. No reparaba, su entrega era absoluta a la hora del juego, de lanzar una pelota o tirarse sobre la arena. Emily, en cambio, permanecía en silencio, un poco al margen de los sucesos cotidianos. Si acaso, bebía un poco con un dejo de desdén. Pensaba en lo mal que había resultado todo. A su padre no le importaba su existencia, hasta supuso que el periodo vacacional le representaba una carga. Se sintió malquerida, como un estorbo, una obligación más dentro de las ocupaciones de sus progenitores. Para colmo, tampoco disfrutaba de las noches con Norman, con la piel brillándoles de sol y playa, tostada hasta la lascivia. Al contrario, las padecía. No estaba de ánimo pero se sentía incapaz de rechazarlo por completo. Ante la insistencia, cedió un par de veces al sexo más insípido que pueda recordar. Y eso que Norman era un buen amante, considerando su edad.

En pocas palabras, el viaje resultó desastroso, digno del olvido. Para todos. Incluido Norman a quien no se le cumplió la promesa de unas vacaciones intensas, inolvidables, como ningunas otras. Emily partió con más preguntas que respuestas y yo me quedé con la sensación de que algo se había roto para siempre, sin posibilidad de repararlo; no existía la escayola que curara esa fractura. Por eso cuando al año siguiente Emily me anunció que vendría acompañada, no hice sino respirar profundo y resignarme de nueva cuenta. Sólo que la estrategia cambió para ésa y las subsecuentes visitas.

Cada año Emily ganaba experiencia. Dejó de ser la niña inocente que se dejaba embelesar por mis cuentos nocturnos. También hizo a un lado a la adolescente impulsiva. Tuvo más cuidado tanto en sus devaneos románticos como en la táctica que usaba conmigo. Eso también lo descubrí sólo que sin malicia. Al segundo o tercer compañero de alcoba le imputó la impunidad de mi desidia. Emily sabía qué hacer para evitar mis reclamos, cosa por demás sencilla. Al menos, eso era lo que yo supuse. Estaba equivocado. Lo que ella buscaba era justo lo opuesto: provocarme, detonar el conflicto, confrontarme pero yo siempre he rehuido los enfrentamientos. Lo que había sido un amorío tácito oculto tras las paredes de su recámara pronto se volvió una exhibición de su sexualidad desfilando por toda la casa. Llevaba al novio en turno al arrebato. Se besaban en cualquier parte, los arrumacos fueron la constante en las visitas siguientes. No se detenía si yo los encontraba acariciándose en la alberca. El pudor había desaparecido por completo. Emily manifestaba una calma devastadora cuando los descubría en pleno faje. No retiraba la mano inserta dentro del calzoncillo de su novio sino que se sorprendía cuando él apartaba la suya, apresurado, de sus senos porque yo me presentaba.

Inició un juego doble. Ella hacía hasta lo imposible porque los encontrara, hasta llegó a montar coreografías y a marcar entradas casuales. Inquiría en mi cara respecto a la apariencia de sus compañeros, resaltando sus virtudes, comentándome lo apetitosos que le resultaban sus cuerpos. Por mi parte, me ocultaba tras las persianas. No podía evitar mirarlos a escondidas. Usaba a sus parejas para recrear el tacto de una piel y me dejaba embelesar, junto con ellos, por una estudiada escena en que ella salía empapada del mar, cubriéndose apenas con la toalla, porque había decidido nadar desnuda al amparo de la noche.

El colmo de su descaro vino hace apenas unos años. Su hombre en turno era un adonis que rezumaba sensualidad aunque era un caradura. Sin ambages, una noche, Emily me pidió que intercambiáramos recámaras.

—En la tuya hay un jacuzzi que ofrece muchas posibilidades —me dijo con una sonrisa burlona.

No pregunté más. Accedí al cambio y pasé toda la noche visualizando una escena cargada de sexo, de penetraciones y posturas dentro del agua, bajo la luz de las estrellas, sin que mediara cortejo alguno.

—Y, pese a ello, seguías sin reaccionar —me reclama Emily cuando de la tercera botella apenas alcanza para un par de copas—. No quiero mentirte. Disfruté mucho de esas visitas. Con cada uno de ellos aprendí nuevas cosas. Al final, me entregaba con gula. Algunos no podían seguirme el ritmo, tal era la exigencia que les imponía. Y, sin embargo, aunque el placer me invadiera en oleadas turbulentas, al término me sentía hueca. Algo faltaba para que el placer deviniera en felicidad. Y ese algo eras tú.

Mi silencio le da pie a que continúe.

Cuando su padre la abandonó, yéndose de la casa familiar, a Emily le quedó el consuelo de la dedicatoria de *Bajo la sombra blanca del abedul*. "A Nora y a Emily, los pilares que me sostienen" se convirtió, para mi hija, en un "a las mujeres de mi vida", puesto a mano sobre uno de los manuscritos impresos. No era sólo una frase al azar, sino una declaración de principios. Si una de ellas ya no lo era, Emily lucharía por seguir siéndolo por siempre. En esa época sentía por su padre un cariño casi reverencial que se convirtió en una obsesión.

—Sí, tardé un poco, pero pronto supe que estaba enamorada de ti.

Por eso hizo todo lo que estuvo a su alcance para despertar sus celos. Disfrutaba recrear la fantasía de que un buen día su padre se armaría de valor para enfrentar a los usurpadores de lo que, por derecho propio, era suyo. Convertirlo en el macho alfa que la salvaría del patán en turno era un tabú con el que Emily podía vivir sin problemas. Si él se ocultaba para mirarla durante sus flirteos, ella no disimulaba al verlo tendido en la otomana, exhibiendo, con toda la dignidad posible, una madurez exquisita. Los dos se mentían uno al otro, ambos lo sabían y se lo creían. El problema es que cuando el amor se vuelve obsesión el deseo se torna enfermizo. Lo había descubierto hacía no mucho. Comprendió que sus fantasías no sólo no se llevarían a cabo sino que seguir pensando en ello la desgastaba en consecuencia. El cinismo volvió al cauce de la normalidad. Aún llegaba de la mano de algún hombre pero la mesura limitó sus escarceos al terreno de lo íntimo.

Al parecer, yo no supe captar la sutileza del cambio. Cuando el descaro alcanzó su punto máximo, tuve que refugiarme en el fisgoneo. Convertirme en el voyeur de mi propia hija le quitaba personalidad. Al verla en pleno trance amatorio era como si estuviera observando a un par de desconocidos. Renegaba de su identidad para entregarme a la contemplación de dos amantes agraciados. Por eso cuando volvió a circunscribir el terreno de sus aventuras a un espacio que me era inaccesible, eché en falta el regalo de su sensualidad. Yo no estaba enamorado de mi hija, no podría estarlo. Si acaso, deseaba su figura y su presencia en tanto pudiera hacer que me resultara impersonal.

—Entonces Antonia tiene razón: toda la vida he estado enamorada de ti. Pero los tiempos no nos favorecen. Ahora que lo sabes ya no tiene más relevancia que la anécdota compartida. Supongo que es lo mismo que le sucede a todas las hijas con todos los padres. La diferencia estriba en que mi proceso ha sido tardío, ralentizado por lo poco que hemos estado juntos en esta vida. Ya ves, casi somos un par de desconocidos que, por suerte, ha aprovechado las circunstancias para no perder lo que podría ser la última de sus oportunidades para rescatar su relación. Y eso es algo que le debemos a Antonia.

Emily vacía su copa por completo. Enciende dos cigarros, me pasa uno con el filtro húmedo. Reacomoda la postura y fuma como si estuviera a solas durante un par de minutos. Yo en cambio, dejo que la ceniza caiga de mi cigarro. Concluye contundente, sin reproches ni insinuaciones.

—Cuando te dije que a las mujeres nos gusta que nos miren no me refería a Antonia. Me di cuenta de que la observabas con lascivia, no lo niegues. Pero también me percaté de algo mucho más satisfactorio. Cuando estábamos juntas, tus ojos se perdían en mí más que en ella. Lo supe pese a tus eternas gafas oscuras. Sé que suena raro pero debo decírtelo: me encantó saber que te gustaba. Mucho más saber que me deseas. Es una lástima que sea demasiado tarde o quizás es una fortuna. Quién sabe qué habría pasado si lo hubiera descubierto antes.

Y calla, dejando todas las respuestas en mi imaginación.

La oscuridad ya se ha filtrado a través del cielo. Veo más la sombra de Emily que a ella misma. Tardo en descubrir que se levanta, se acerca hasta donde estoy y besa con ternura mis labios antes de retirarse. Yo permanezco en mi sitio, sin poder definir si prefiero nuestra recién inaugurada confianza o el juego de ocultamientos de antaño. La diferencia no es mucha, tan sólo que las palabras han revelado lo que ya sabíamos. Lo único que me queda claro por ahora es que, desde cualquier perspectiva en que se vea, no soy un buen padre.

.   La fuerza de su carácter ha terminado por aislar a Ogashi. No habla con los internos, para él son ancianos decrépitos buscando el paliativo de la compañía obligatoria. Desde el día en que pisó la residencia se negó a todo tipo de atenciones innecesarias, él se bastaba a sí mismo. Aún era fuerte y saludable y no tenía planeado sucumbir a los caprichos de la vejez sin dar pelea como el resto de los viejos que sólo pensaban en achaques y anécdotas repetidas. Había quienes claudicaban, dejándose vencer, sólo por el argumento de la edad que era más poderoso que las pieles flácidas y los músculos cansados. Ogashi no era de ésos. Congruente con lo que profesó toda su vida, supo que él moriría en el instante preciso en que sus funciones corporales empezaran a fallar. Lo haría de golpe, con dignidad y sin paliativos. Verse a sí mismo incapaz de ir al baño en solitario le resultaba el más cruel de los designios; algo tan indigno que sería mejor dispararse en la cabeza que padecerlo. Entre las pocas pertenencias que se trajo consigo estaba su arma reglamentaria. Usarla sería el último de sus escapes, justo cuando su voluntad se viera reducida a sus capacidades físicas. La había limpiado hasta el cansancio a sabiendas de que en ella residía su esperanza postrera: la de morir con más honor del que había vivido.

Quizá por eso había renunciado al contacto con el resto de las personas. En ese sitio ser huraño no era la novedad. Sin embargo, hasta aquéllos que sólo tenían insultos para con los demás se ocupaban de relacionarse con los otros. Ogashi simplemente los ignoraba sin participar en ninguna de las actividades comunes, sin pelear por un sitio en la sala y sin quejarse por la calidad de la comida, los horarios estrictos o los medicamentos. Prefería pasar las jornadas dando largos paseos en los que el factor común era llevar a cabo una recapitulación de toda su vida. Lo hacía desde el principio, apegado a un rigor en el que la linealidad era el mejor de sus bálsamos y su guía. Pese a descubrir, una y otra vez, que el periodo de la guerra lo había marcado para siempre y que esa mácula era indeleble, no era capaz de pensarse actuando de otro modo. Más que un ejercicio por componer el pasado, Ogashi buscaba convencerse de que había actuado acorde con la única posibilidad. Su arrepentimiento, entonces, era el de las palabras, sabía que, de vivir nuevamente, repetiría cada uno de sus errores y desaciertos. Por eso no podía vivir consigo mismo, por eso tampoco se acercaba a los demás. Confrontarlos implicaba reconocerse como una persona. Y una parte subyacente en lo más profundo del ser que era renegaba de sí mismo y no lo perdonaba. Para qué buscar en el otro compasión cuando sólo resta crueldad.

Ogashi tuvo que vivir con la condena que él mismo infligía a su persona sin que hubiera un verdugo al que suplicar o un juez con quien discutir. Al menos así fue hasta el día del accidente. Los médicos y las enfermeras se debatieron para saber quién le daba la noticia. Ninguno quería enfrentarse al anciano que sólo respondía con gritos, monosílabos o silencios. Que lo dejaran en paz era la consigna tantas veces repetida. Ahora se hacía caso de ella casi por completo. Por eso nadie quería irrumpir en su resguardo de ausencias. Al final lo echaron a las suertes. Una comitiva de tres personas fue la encargada de seguir sus pasos por el bosque que circundaba la residencia. Era otoño. Las hojas crujían bajo sus pies y una amalgama pardusca entibiaba sus miradas. Lo encontraron sentado en una banca bajo un abedul. La fronda del árbol provocaba sombras móviles que se deshojaban sobre su cabeza. Desde ahí extendía sus pensamientos a lo largo del horizonte, siguiendo el vuelo de una hoja o concentrado en el leve crepitar de la maleza.

Formaron un abanico frente a Ogashi.

—Su familia murió en un accidente vial ayer por la tarde —dijo un enfermero fornido con la voz quebrada y las emociones a flor de piel. Algo le dolía más que la noticia que tuvo que dar.

—Yo no tengo familia —contestó Ogashi sin inmutarse—. Mi esposa murió poco antes de que viniera aquí.

No supo por qué les explicó las cosas. Fue como justificarse frente a personas que no merecían saber nada acerca de él.

—Mi compañero se refiere a su hija...
—intentó explicarle una enfermera un poco más joven.

—Ella murió mucho antes —concluyó.

—Su nieto aún está vivo, Kioki, se llama —volvió a hablar el primero sin importarle la negativa del viejo.

Como Ogashi permaneció callado, siguió hablando:

—Su estado es grave, está en coma. No se sabe si va a sobrevivir o si despertará en algún momento. Lo mantendremos informado.

La comitiva partió del mismo modo en que llegó: haciéndose presente por medio de pisadas pletóricas de sonoridad. La incertidumbre se filtró a lo largo de las jornadas, no había noticias ni reacciones. Tanto faltaban las unas como las otras. Ogashi sólo caminaba hasta el mismo abedul donde recibió la primicia, haciendo a un lado sus prolongados paseos. Se conformaba con la breve caminata, con el crujir de las hojas bajo sus pies descalzos, con la sombra que le daba el árbol. Se instalaba en la banca y se ponía a contemplar lontananza. Poco a poco, su estado se fue deteriorando pero no era él quien se descubría a sí mismo más débil y más viejo. Era el entorno que ya no le alcanzaba para resguardar su tristeza.

Al cabo de una semana la comitiva vuelve.

—Su nieto, Kioki, sigue igual. Ningún pariente quiere hacerse cargo de él y el hospital no cuenta con recursos para atenderlo por tiempo indefinido. Por otra parte, no hay mucho que hacerle. Es apenas un vegetal, sin conciencia ni movimientos. Apenas puede respirar por sí mismo. Con cada hora que pasa, las esperanzas de que recobre la conciencia son menores —por más que el enfermero intenta ser profesional, no puede evitar que la voz se le quiebre de nuevo, algo de lo sucedido con Kioki le recuerda una historia que le golpea en sus adentros.

—¿Por qué me cuenta esto? ¿Por qué me lo dice a mí? —responde Ogashi.

—Porque es el único familiar que le queda —un tono de molestia se filtra en la voz del enfermero.

Abandona al viejo en su arrepentimiento.

La escena se repite una vez más. Sólo que ahora el enfermero también va acompañado por el doctor a cargo del asilo. Sin prolegómenos ni pausas le anuncia:

—A su nieto, a Kioki, ya no se le puede retener más en el hospital. Su estado es irreversible. Está condenado a una cama o a una silla de ruedas. Se alimenta mediante sueros. Respira de manera refleja, automática. Se ha hecho la solicitud para trasladarlo a este sitio. No es lo habitual pero, al ser usted la única persona que no se ha negado a cuidarlo, podemos hacer una excepción.

—¿Y si me niego?

—Entonces será llevado a una casa como ésta, a un pabellón hospitalario donde se le mantendrá con vida, pero los médicos han dicho que, si existe alguna posibilidad de que se recupere, dependerá del cariño que le puedan proporcionar sus seres queridos. En estos casos, las atenciones y las palabras ofrecen mejores resultados que los medicamentos y las terapias. Además, así usted no estará tan solo. No le hace bien aislarse del resto de la comunidad. Piénselo bien, el efecto que puede tener el traslado será benéfico para todos.

Ogashi duda. Se debate entre el abandono al que ha encomendado su existencia y el hacerse cargo de un nieto desconocido. No sabe si es una forma de expiación. Le parece que, más bien, es renunciar a la renuncia y, con ello, ennoblecerse. Algo que no está seguro de merecer, algo de lo que reniega.

—Hagan lo que tengan que hacer —accede— pero quítense de enfrente porque me tapan el sol.

El enfermero sonríe.

En su fuero interno, Ogashi ha aceptado la idea. Kioki no tiene la culpa de los actos de su madre, de la sevicia de su abuelo, de la falta de honor en su familia. Si acaso, ya ha pagado con creces la irresponsabilidad de esa mala mujer, es tiempo de expurgar los demonios familiares del pequeño. Incluso se entusiasma. Pensar que los últimos años de su vida no serán tan aciagos como los suponía sino que, por el contrario, pueden llegar a ser útiles, le representa una suerte de redención que le modifica el ánimo. Por primera vez, tras muchas décadas, sonríe, se siente contento, casi feliz.

Pero la felicidad es el privilegio de unos cuantos y Ogashi no está entre ellos. Durante el traslado de Kioki su estado se complica. Algo relacionado con las sondas y su respiración. Su cuerpo no aguanta el movimiento. Muere antes de llegar a la residencia de reposo donde lo esperaba un abuelo entusiasmado por el giro que tomaban sus últimos días. Así se lo avisan a Ogashi, quien recibe la noticia impasible. Antes de que el enfermero lo abandone con lágrimas en los ojos, le pide una silla de ruedas. El enfermero consiente, devastado, sabedor de que el sufrimiento es una tara más pesada que el reumatismo o la debilidad muscular. Pero Ogashi no quiere la silla para desplazarse. La quiere para Kioki. Para su niño muerto, a quien traslada todos los días bajo la sombra del abedul donde le da cuenta de su vida a lo largo de un ejercicio confesional en el que terminará salvándose a sí mismo.

Antonia le ha mandado un mail a Emily. Le dice que las cosas van bien, que llegó a tiempo e hizo un buen papel en la prueba, que está esperanzada, que los resultados serán públicos en un par de días. También le dice que me dé las gracias por todo, por la maravillosa estancia, por la hospitalidad y por los arreglos en el aeropuerto. Pero Emily no me ha impreso el mail para participarme del entusiasmo de Antonia, lo ha hecho porque ha terminado de leer *Bajo la sombra blanca del abedul* durante el vuelo y quedó encantada. Se deshace en elogios por mi novela.

Acostumbrado como estoy a la respuesta entusiasta de mis lectores, me sorprendo a mí mismo al sentirme tan reconfortado por sus palabras. Es algo que no había experimentado en mucho tiempo. Vuelvo a ser el novelista incipiente que se estremece con una sensación de placidez frente a la respuesta de sus primeros lectores. Me olvido del estado de angustia que me hizo pasar la noche en vela, jugando a las suposiciones. No puedo ser tan mala persona si soy capaz de "conmover hasta las lágrimas" a una chica con la que he vivido una relación tan compleja en los últimos días. En lugar de resultarle repulsivo, de provocarle asco en el momento de recordar mis intentonas por comprometerme sexualmente con ella, ha sido tocada por una historia que escribí hace más de veinte años.

Siento la apremiante necesidad de dejar todo en el pasado, de permitirme seguir adelante. A fin de cuentas, mi relación con Emily ya se encuentra en un estadio superior, en el que las verdades dictan la pauta de nuestro comportamiento. Ya no es sólo vernos una vez al año y desaparecer, con la esperanza puesta en que al otro no le haga falta algo, de que no sufra demasiado, de que sea capaz de arreglárselas por sí mismo sin llevar sus problemas a rastras. No, ya no es así. Incluso puedo describir la evolución en cada una de sus etapas. Por primera vez a lo largo de esta semana ya no me siento culpable. Sí, mi hija me ha confesado su enamoramiento pero, como ella misma dijo, quién no ha estado enamorada de su padre, o de su madre, según sea el caso. La más antigua de las formas literarias no tiene empacho en dar cuenta de ello. Para qué intentar pecar de originales.

No puedo dejarme vencer por un amor platónico, petrárquico o fantástico. Son nuestros actos y sus consecuencias los que nos definen. Entonces no hay nada que temer. Mientras nada suceda, no hay futuros de los cuales preocuparse. Ella ha estado enamorada de mí. Yo he descubierto lo mucho que la he deseado estos días. Ambos conocemos nuestro secreto y, aun así, podemos seguir adelante. Incluso podemos, como Ogashi, buscar refugio en un mundo paralelo concedido por nuestras ilusiones pero, al margen de éste, debemos continuar nuestros caminos. No es difícil hacerlo. Somos padre e hija, hija y padre, y podemos actuar en consecuencia por más que nuestras psiques se entretengan con las posibilidades. Nada nuevo para mí, por cierto, que he soñado tantas veces con un sinnúmero de mujeres sólo accesibles en mi imaginación. Probablemente ponga el rostro y el cuerpo de Emily a mi próxima fantasía y hasta ahí llegue. Mientras tanto, aprovecharé lo que queda a su estancia para continuar el diálogo. El mail de Antonia es un pretexto perfecto.

Busco a mi hija por la casa sólo para descubrirla dando un paseo por la playa.

Emily tiene la insolencia de las mujeres bellas que se saben bellas. Una combinación que la vuelve demasiado tentadora. Acodado en la baranda de la terraza, la observo caminar conforme el cielo se anega de destellos malva. Se aleja con una cadencia precisa, ni muy lento ni demasiado rápido. Recorre el trazo de la playa como si se supiera observada: a veces se toca el pelo, lo agita contra el viento, gira la cara hacia el crepúsculo e, imagino, regala una sonrisa. Es como si modelara. Puedo trasladarla a una gran urbe, por ejemplo, ataviada con algo más que un bikini y un pareo, incluso demasiado cubierta por las inclemencias del clima. También ahí sería bella, por supuesto, y también estaría consciente de ello. Entonces la voltearían a ver sólo por ese hecho: se brinda al espectador posible. Detenida en una esquina, a la espera de un cambio de luz, con apenas un fragmento de cara visible entre la bufanda y el gorro, podría deslizar una mano por su costado para resaltar su silueta o girar con lentitud la cabeza antes de acomodar un mechón rebelde de su cabello.

Lo haría con la certeza de que la miran y por eso sería aun más bella.

Ni para qué recalcar que ese mismo efecto se maximiza ahora que da la vuelta. Ha encontrado un sitio en la playa donde se siente cómoda. Mira hacia el infinito marino. La brisa se colude con el sol en su perigeo para dotar de tonos dorados a su piel. El cuello y el hombro brillan un poco más que su cintura que se opaca en el movimiento mismo de deshacer el nudo del pareo. Por un segundo se detiene el tiempo sólo para dar paso a un movimiento preciso, el que arrebata a la tela de su soporte, volviéndola volanda que atrapa el atisbo como llamarada. El embeleso se concreta cuando su figura se muestra apenas cubierta.

Debe ser consciente de que es mirada, de que yo la miro. De qué otra forma si no se explicaría esa leve vuelta, ese recostarse y girar, mostrar todos sus ángulos; incluso levantarse y sacudirse con esmero, recorriendo los caminos que la arena le ha impregnado. Sacudiendo con su mano la caricia que deseo. ¿Lo sabrá? ¿Será una ofrenda a su padre o tan sólo un regodeo en que ostenta lo prohibido? No lo sé, y aun así me pierdo.

El atardecer se viste de malva con tonos ambarinos. Sus destellos saturan el espacio. Es la hora en que el aire se vuelve espeso, fragmentando en corpúsculos la fragancia inaudita del encuentro.

Emily me alcanza en el jacuzzi. Su atuendo es el mismo que el que le he visto usar en la playa. Sólo se despoja del pareo.

Tras sus párpados se configura la visión acuciante de una promesa.

En mis labios se retuerce la venia del último cigarro que fumo, dispuesto como estoy a dejarlo para siempre.

Cuando nació mi hija me propuse dejar de fumar por primera ocasión. Lo he cumplido una infinidad de veces. En la retorcida retórica de la gula, he cedido sólo por comedimiento y he recaído convencido de que esta vez, o ésa, o aquélla, o la que sea, será absoluta mi renuncia.

Por eso fumo y por eso me embriago. Porque me convenzo de que una copa más no hará la diferencia. Soy abstemio cada tanto. También me alimento de manera saludable y, por periodos nunca prolongados, me impongo una rutina de ejercicios.

Pero ceder es una tentación constante.

A los solitarios no nos motiva el futuro. La inmediatez del presente es una necesidad más poderosa. Por eso recaigo. Me dejo seducir por la pereza, por las pastas, los carbohidratos y la pornografía sin límites. No hay moral que contravenga mi conciencia y ésta se manifiesta laxa a la hora de cumplir mis propósitos.

Soy vicioso por vocación, no por convencimiento. Sé que me hace daño pero no reparo en ello. Me dejo llevar por un antojo. La disciplina no conduce por los derroteros idóneos. Un día, una semana o un mes me puedo dejar llevar por el paroxismo de la escritura, por ese arrebato febril que se apodera de mis ensoñaciones. Me siento un hombre bueno si consigo rellenar las cuartillas dentro de un horario establecido. También si acompaño ese periodo con comidas saludables y con algo de ejercicio. Entonces siento que voy bien encaminado.

Claudicar es más sencillo.

Una mañana cualquiera siento una extraña disposición de ánimo. Ciertas partículas oxidan mis ganas. Las frases se atoran en el teclado, se diluyen entre mis dedos mucho antes de que pueda trasladarlas. Entonces me distraigo.

Me levanto para colar café y aprovecho para prepararme un bocadillo. Uno a uno voy aumentando los ingredientes hasta tener entre las manos el sueño del goloso. Enciendo un cigarro para pasar la sensación de la comida, con la certeza de que no habrá consecuencias. Mientras lo fumo, se me hace fácil descargar un nuevo juego o retomar uno anterior; la sensación es placentera. Me dejo llevar por el automatismo consistente en empatar figuras y colores; me obsesiono con un nivel difícil de superar. A esas alturas ya llevo media cajetilla porque me gusta acompañar el ritual del juego con fumadas paulatinas, convencido como estoy que es más sencillo vencer a la computadora mientras fumo. Cuando me doy cuenta, el día está perdido en la nada del mero entretenimiento.

Claudico.

La suma de mis vicios se aglutina. Para no dejar la pantalla me conformo con mal comer, a deshoras, de continuo, nada sano. El vaso de whisky se reúne con las fotos de desnudos. Descargo varios videos al unísono y me entusiasmo con un nuevo juego con el que paso buena parte de la noche mientras mi computadora se entretiene con descargas a distancia.

Cuando por fin me voy a la cama, una plétora de figuras se instala tras mis párpados. Caen sincronizadas o se revuelven dentro de una espiral a la que debo vencer disparando bolas coloridas. Se combinan formas y texturas. Sueño con la jugada perfecta llevándose a cabo sobre la piel de alguna de mis fantasías. Sueño con su condescendencia o su aprobación ante un movimiento inusitado de mi mano sobre el mouse. Los ojos me escuecen y la cruda ronda en mi entorno, mandando sus primeros avisos.

No cedo. La rutina maleva se repite. Salir del ciclo es un acto fortuito. No tiene que ver con mis cualidades ni con la templanza que muestro de tanto en tanto. Al contrario: está relacionado con mi acidia. También me aburro de la disipación. Pero ello no implica arrepentimientos. Al menos no a estas alturas de mi vida.

Hace años era diferente. Sufría por adelantado, incluso. Cuando reconocía los primeros síntomas, cuando iba camino a la tienda para comprar cigarros, cuando pensaba en el bocadillo que seguiría al primero de la serie, cuando buscaba los discos con el juego. Entonces me sentía culpable. Desperdiciar la vida con trivialidades no era una alternativa. Aun así, era capaz de vencer todos mis remordimientos.

Mi voluntad es mucho más fuerte a la hora de exonerarme que a la hora de conducirme.

Con los años he aprendido a no tener cargas morales. Qué puede importar que el gran escritor desperdicie su tiempo en actividades no relacionadas con la escritura. Qué puede importar que el mundo entero espere su nueva novela. Qué puede importar que me envilezca con el vicio si puedo dejarlo una y otra vez. Qué puede importar un equívoco. El juez que soy nunca me impone una condena demasiado estricta, es complaciente a más no poder.

Tal vez se deba a que ve todas mis faltas en términos individuales. Si acaso, sólo mi persona resulta afectada con mi comportamiento. Cuando un criminal no atenta contra la sociedad, cuando no contribuye a su deterioro, entonces no debe ser condenado.

Por otra parte, quizá yo necesite de esos escapes para poder escribir de nueva cuenta. Sé que me justifico pero bien podría ser cierto.

Por eso mi moral se funda en la idea de mi disfrute. El placer es la única medida posible, válida. Si me entrego a él en la alternancia con los momentos de recato y trabajo no hay por qué cuestionarlo. Me funciona y no es ahora cuando empiece a renegar del proceso ni del placer.

—Entonces, ¿nunca te sientes culpable por tus acciones? —la pregunta de Emily tiene visos de sorpresa y partículas de aprobación. Es más como si se enfrentara a algo digno de admirarse a que lo fuera por algo desagradable.

Estamos dentro del jacuzzi; fumando. Ella rechazó un puro excelente, decantándose por los cigarrillos. Compartimos, en cambio, whisky añejado por más de dos décadas, sin hielos ni pretensiones más que un complejo sabor a tierra, a soledad, a tristeza y a melancolía por el final que, se siente, está por llegar.

Emily se irá por la mañana.

—No es que no sienta culpa. Tan sólo es que he aprendido que vivir con arrepentimiento no lleva a nada. Una tristeza teñida de preocupación se instala en uno y no hay forma de sacarla. No sé, quizá no he llegado al límite, a esa acción crucial que lo vuelve irreversible.

—Como matar a alguien.

—Como matar a alguien —concedo con pausas—, o como provocar a los que quiero para que se vean obligados a abandonarme. Eso fue lo que temí hace unas noches, cuando estuve cerca de tener algo con Antonia. Tuve miedo de que mis actos fueran irreversibles.

—Pero ella no te interesaba mayor cosa. Si acaso, una aventura, meras ganas por acostarte con una jovencita a la que apenas conocías.

—Sí, tienes razón. Pero no era ella quien me preocupaba. Eras tú. Me pasé la noche debatiéndome por mi error. Temí que te alejaras. Yo sabía que era tu pareja. Aunque todo hubiera sido una impostura, un juego de Antonia que, a decir verdad, habría sido tan culpable como yo. Pero había caído en sus redes y tú estabas en condiciones de enterarte y, en consecuencia, tomar tus cosas e irte, enojada conmigo. Uno a veces puede perdonar el flirteo de un amante pero no el desliz de un padre.

—Aun así, fuiste tú quien me lo contó, no ella.

—Quizá Antonia se dio cuenta de que también sería malo para su imagen frente a ti.

No sé por qué lo hice. A veces la incertidumbre es mucho peor que la culpa. Visto en retrospectiva, no tenía nada que temer pero en ese momento pensé que sería peor que fuera ella quien te lo contara. Ahora creo que tampoco lo habría hecho. ¿Qué te iba a decir? ¿Que me sedujo y luego me abandonó? No sólo corría el riesgo de que la cuestionaras por meterse con tu padre sino que también podrías enfurecerte por haber jugado conmigo. En fin, tampoco es que tuviera ocasión de decírtelo. Me anticipé contándotelo de inmediato. Fue un impulso, un arrebato que por suerte surtió efecto porque no había medido las posibles consecuencias. De haber salido mal, ahora estaría solo, lamentándome el haberte perdido por una estupidez. Una calentura sin consecuencias pero que bien pudo haberlas acarreado.

—Es imposible. Yo nunca te dejaría —las palabras de Emily van acompañadas de un tono que suena a insinuación.

—¿Nunca?

Una parvada de gaviotas surca el cielo antes del anochecer. Sus siluetas se pierden sobre el océano que ahora es oscuro, tanto como sus gañidos acusando cansancio. Las pierdo en un giro sincrónico de su vuelo que no alcanzo con la vista.

—"Nunca" suena a exageración. Supongo que habría cosas que no te perdonaría, las mismas de las que podrías arrepentirte. Si matas a mi madre, si me golpeas… No sé, acciones concretas que no visualizo en tu persona. Todo lo demás, lo que fuera…

Emily calla. Sus palabras tienen la consistencia de lo solemne, son un moho aterciopelado que se instala entre nosotros. Las deja reposar hasta que descienden, diluyéndose en el ocaso.

—Recuerda que no sólo soy tu hija sino que estoy enamorada de ti —concluye guiñándome un ojo. Se carcajea por su ocurrencia antes de continuar—. Vaya privilegio el tuyo: tienes a tu lado a alguien que te ama sin concesiones, por dos vías. Además, nunca sientes culpa ni remordimientos y, si hubiera visos de ellos, no importa porque siempre estaré dispuesta a perdonarte. Así que eres libre de hacer lo que te venga en gana. Debes admitir que pocos pueden darse ese lujo: es la máxima impunidad.

Yo no había pensado en esos términos. Al menos no los había extrapolado hasta el campo de mi relación con ella. Emily tiene razón. Me froto los ojos hasta conseguir el alivio ante la crudeza del cloro. El ambiente se ha llenado de esquirlas. Todo se descompone. Soy testigo de cómo se fragmenta la realidad en pequeñas piezas. Y eso no es todo. Es un enorme rompecabezas en constante reordenamiento. Como si cada corpúsculo fuera incapaz de encontrar su sitio.

—Si hasta resulta tentador ponerte a prueba —un tono de traviesa malicia acompaña a su idea.

—¿A prueba? No te entiendo —finjo al contestar. No sé qué está pasando por la cabeza de Emily pero no puede ser nada bueno.

—No lo sé. Se me ocurre obligarte a hacer algo. Un reto como de juegos infantiles sólo que con consecuencias. Tendrías que llevar a cabo una serie de acciones que rompan con tus propios límites, que los trasgredan. Algo que te haga sentir culpa, un pequeño arrepentimiento. Algo con lo que tengas que cargar durante un buen rato. Algo que te impida dormir o que borre tu cinismo de una sola pincelada.

Pienso con calma antes de responder. Doy dos, tres caladas sucesivas como queriendo evitar que se apague el puro. Siento en la parte interior de mi boca los resabios del tabaco. Mis labios acusan resequedad. He fumado en exceso esta semana.

Mi primera reacción es defensiva. ¿Por qué Emily busca hacerme daño? ¿Por qué quiere ponerme en un estado de indefensión? Debe ser una necesidad de venganza. Ella ha sufrido mucho por mi culpa y, tal vez, ya sea tiempo de que pague el precio por mi pasado. Asiento sin palabras al darme cuenta de que su propuesta no es tan mala. Aún más: de pronto me resulta evidente que es algo que necesito.

Vivir sin culpas también es vivir en pausa, en un estado de completa indiferencia. Sin contrastes no hay gozo verdadero. La idea de hacer algo de lo que me pueda arrepentir abriría el camino a mi redención. Imagino una plétora de emociones en cascada, allanando mi existencia, y me emociono. Es entonces cuando continúo el diálogo:

—¿Algo como qué? —mi pregunta es la de un infante con la urgencia de ser sorprendido.

—No lo sé —una ligera decepción se instala en mis adentros cuando Emily confiesa su ignorancia—. Estoy pensando pero todavía no estoy segura. No te preocupes, ya se me ocurrirá qué hacer.

Nos quedamos en silencio contemplando el espectáculo que representa el sol siendo engullido por el océano. Es un trago luminoso que se apaga en la marea. La noche no tarda en mostrar su totalidad maculada por astillas estelares. Entre nosotros sólo queda el gemido monótono del oleaje y la aspiración profunda de los cigarros. Acaso un canto de grillo se escucha a la distancia.

Conforme pasan los minutos el agua del jacuzzi se enfría. Puedo distinguir el estremecimiento en la piel de los hombros de Emily. Subo un par de grados la temperatura. Un chorro cálido irrumpe en medio de mis ensoñaciones y se combina en torno nuestro.

—Soy yo quien te va a poner a prueba —retoma Emily hundiéndose un poco en el agua, permitiendo que sus hombros queden sumergidos. Ella ya sólo es una cabeza flotando. Apenas iluminada por focos mustios y distantes. Una cabeza que habla—. Más aún, pondré a prueba a ambos.

—¿A ambos? —alcanzo a articular antes de que Emily me interrumpa con una mano.

Me callo. Reconozco que es su momento, se lo concedo. Guardo mis dudas y me vuelvo dócil para escucharla.

—Dentro de poco voy a salir del agua —continúa titubeante. No puedo discernir si es por el frío o por lo que dirá—. Ya está bajando la temperatura y permanecer aquí no va acorde a lo que me está ocurriendo —sonríe buscando mi complicidad. Luego agacha la cabeza sólo para que su determinación la vuelva a alzar, dejando fijos sus ojos en los míos—. Voy a salirme. Me secaré con cuidado hasta que ninguna gota me quede encima. Para ello, con la toalla recorreré con lentitud mi cuerpo. Justo frente a ti. Y, del mismo modo, justo frente a ti, me despojaré del bikini. Será para secarme bien pero, también, para que puedas gozar de mi desnudez, para que la evalúes de cerca, sin que te ocultes tras las persianas. Va a ser una imagen diseñada para ti que no compartirás con nadie más. Quizá hasta gire un par de veces. Tienes que verme bien, centímetro a centímetro y en mi totalidad. Decidir si te gusto. Tatuar mi figura tras tus párpados.

"Cuando acabe, me iré a tu habitación. De lo que pase ahí no tendrás la certeza. Te la regalo. Me miraré al espejo ya sin la distorsión de las sombras ni de la noche. Aún no sé bien qué pasará después. Sólo un adelanto: te estaré esperando. Acostada, de pie o sentada. Lo ignoro, aún no lo planeo. Serán unos minutos nada más los que esté a la vera de tu voluntad. Los minutos que te tome decidirte. Si no llegas, me iré a mi cuarto, cerraré con llave, intentaré dormir y, al amanecer, empacaré mis cosas para irme. Si, en cambio, llegas, pondremos a prueba tus límites. Nuestros límites. Veremos hasta dónde llega la promesa de la culpa."

Emily vacía su vaso de un solo trago. El licor templado la hace emitir un ligero gruñido. Estoy tan sorprendido por su propuesta que tardo en darme cuenta de que ya está poniéndola en marcha. Cuando reparo en ello ya ha salido del jacuzzi. Toma una toalla de la silla y procede a secarse con una parsimonia inaudita.

Una a una sus palabras se van convirtiendo en hechos. Sólo que cuando me lo dijo éstas no fueron suficientes. Su desnudez tiene una densidad mayor que cualquier anticipo. No alcanzan las frases, las metáforas ni el lenguaje entero para describir el primero de sus giros, mucho menos el segundo, ralentizado hasta la locura.

Es cierto, el presente tiene la cualidad de ser más pleno que cualquier recuerdo. Ninguna evocación consigue hacer que revivamos tal cual el pasado. Aun así, estoy seguro de nunca haber sido testigo de una belleza como la que se me ofrece sin ambages. Cuando Emily, cuando mi hija, desaparece tras el cancel, tiemblo.

Tiemblo más que el adolescente que está a punto de seducir a su primera chica.

Tiemblo más que el hombre que ha recibido la peor de las noticias y se la tiene que tragar con su propia impotencia.

Tiemblo más que el padre que recibe al primero de sus hijos en los brazos.

Tiemblo más que quien se congela sin razones a mitad de la nada, sin siquiera un cobertizo o una manta.

Tiemblo más que el asesino primerizo apuntando a su víctima, más que la viuda, más que la madre y más que el mundo.

Tiemblo porque no sé qué hacer con tanta angustia; con esta mezcla de deseo y templanza, con mi mente confundida, con mi corazón trepidante, con mis manos trémulas, con tanto temblor.

Salgo del jacuzzi. El tiempo es una amalgama con tintes de tragedia. Una brisa estalla contra mi espalda. Ignoro el designio de los arcanos. Me seco con la misma toalla de mi hija. Una tenue fragancia la humedece. Me detengo frente al cancel. Un grillo ha reiniciado su canto en el espeso silencio de la noche. Tomo aire y me aventuro.

No veo a Emily. Las luces están encendidas señalándome su ausencia. El golpeteo de las persianas es la carcajada que se burla de mi candidez. Ésta es la prueba, me digo con la decepción acrecentando mis temblores. He fallado o he cumplido. No seré yo quien dicte la sentencia. Cualquiera de los fallos será en detrimento de mí mismo.

Mientras camino hacia el vestidor, juego con la posibilidad de haber tardado demasiado. Eso querría decir que Emily sí me esperaba y, también, que creerá que he resistido. Es curioso cómo la ilusión nos ofrece salidas fáciles de situaciones complicadas. Lo procedente es buscar una pijama, volver a la terraza y dar cuenta de lo que quede del whisky. Es la única forma de garantizar el sueño de esta noche.

No lo consigo.

En cuanto cruzo el umbral del vestidor, Emily sale del baño, tan desnuda como antes pero mucho más cercana. Puedo sentir el pálpito de su cuerpo, su tibio llamado. Además, la luz me regala la imagen más exacta de la perfección.

—No es justo que yo esté así y tú sigas vestido —me provoca mi hija antes de deslizar sus dedos entre mi piel y el resorte de mis boxers. Es el más estremecedor de los tactos.

Los baja por completo antes de volver a la recámara conmigo siguiéndola con docilidad.

Hace tiempo leí —mi memoria falla, no puedo recordar los detalles— que un famoso pensador, o filósofo, o escritor, viajando en un tren se quedó mirando al pasajero sentado frente a él. Era un hombre común, quizá un obrero. Y viéndolo descubrió que él mismo, el afamado pensador que había contribuido con su obra a hacer del planeta un escenario más profundo, no era mejor que aquel hombre.

Con la felicidad pasa lo mismo.

Emily se ha ido.

Amanecí a solas en mi recámara. Tardé en despertar. Me sentía incierto. La modorra me hizo revivir una y otra vez lo sucedido anoche.

Hicimos el amor. Nada fuera de lo común. Un par de posiciones básicas antes de terminar entre gemidos y abandonarnos al sueño.

Pero miento. Si bien no hubo acrobacias ni salieron a relucir nuestras mejores estrategias como amantes, lo cierto es que, en cuanto estuve dentro de Emily, de mi hija, un placer nunca antes experimentado se apoderó de mí. Y de ella. De eso estoy seguro. No fueron la turgencia de su piel ni lo deleitable de su figura. No fue un movimiento específico ni una contracción. Tampoco fue su rostro abandonado a cada nueva embestida; ella con los ojos cerrados, yo abiertos para no perder un solo detalle de su presencia.

Fue algo mucho más intenso. Una profunda conexión que me hizo desear que todo se prolongara hasta la eternidad. Más todavía, cuando el orgasmo llegó como un alud simultáneo que arrostraba mis sentidos, supe que podría morir en ese instante, que nunca más viviría algo de tal intensidad como para que valiera la pena esperarlo. Sentí el lugar común de la literatura y lo supe real. Cuando, ya recostados, abrazándonos con fuerza, sin soltarnos para no tener que vernos a la cara, el sueño fue ganando terreno, quise, con toda mi voluntad y determinación, no despertar más. Porque en ese trance durante el cual el sexo nos había reconstruido a mi hija y a mí, tuve atisbos de lo que es la felicidad.

Una felicidad plena, diferente a la de los postulados y las sentencias. La felicidad del que se entrega.

Desde que leí aquella anécdota entre el pensador y el hombre anónimo, una sospecha me había rondado: la de que cualquiera podría ser, y de hecho era, mucho más feliz que yo.

No es difícil. Podría parecerlo porque vivo rodeado de comodidades y privilegios pero he pagado un alto costo por ellos. Puedo evocar múltiples pasajes de mi vida que lo confirman. He envidiado, con sevicia, a todos los que son capaces de abandonarse por completo, de entregarse a las fiestas y a los rituales como quien no tiene nada que perder. Yo, que nada tengo que perder, nunca había podido. Al menos hasta ahora.

Hay quienes se entregan por completo a sus pasiones. Incluso quienes hacen de la causa ajena su norte. Entonces sufren y disfrutan con una intensidad hasta entonces vedada. Nunca he podido bailar sin un prurito de vergüenza. Sigo los pasos por compromiso sin acceder a la armonía. No me entusiasman los deportes, me resultan banales los resultados y hasta me parecen ridículos los hinchas que se desgarran las vestiduras ante una derrota. Los coleccionistas me aburren tanto como los obsesivos, haciendo de su meticulosidad el pretexto para continuar. No puedo enloquecer ante la presencia de mi ídolo, hacer cualquier cosa para tocarlo o para robarle un gesto. Poco efecto me causa la ternura o lo sublime. Ver nacer a un niño o enseñarle a leer me aburre. Me parece bestial pelear por el simple hecho de hacerlo, para conseguir una dosis de adrenalina. Soy prueba viviente del mito que sostiene la euforia creativa y el paroxismo creador. He mirado con indulgencia a los fanáticos religiosos y a quienes hacen de las creencias su leit motiv. Con una postura intelectualoide los he despreciado a todos a la menor oportunidad.

Y, pese a ello, los envidio.

Porque son capaces de hacer un acontecimiento a partir de minucias. Porque en sus vidas monótonas y pesadas son capaces de encontrar el pretexto ideal que los haga partícipes de lo sagrado. Y qué puede ser más sagrado que una comida insípida para el hambriento, que una emoción colectiva para el solitario, que la visión de la divinidad para el creyente.

Nada. Nada puede ser más sagrado que la felicidad o la idea de la felicidad.

Ahora lo comprendo. Ahora que Emily se ha ido. Desperté solo. Cuando reuní la fuerza necesaria para desprenderme del letargo, cuando me separé físicamente de mi obsesión estéril por revivir la noche a fuerza de recuerdos, me levanté para buscarla. Ya no estaba. Había empacado y había salido sin despedirse.

Volvió la crispación al darme cuenta de que, quizá para mi hija, la prueba había sido demasiado exigente. Por eso huía, porque no deseaba enfrentarse con la contundencia del acto, por más placentero que le hubiera resultado.

Una nota suya confirmó mis sospechas: Nos habíamos excedido y ella no sabía qué hacer. "A veces es mejor que lo platónico no suceda", argumentaba antes de despedirse:

Debo pensar, yo sé que entiendes. Debo estar a solas antes de poder enfrentarme de nueva cuenta contigo, con nosotros. De momento, sólo puedo decirte que fue maravilloso, que no puedo sino pensar en ti. Pero lo que pasó va más allá de mis fuerzas. No sé si tenga los arrestos necesarios para soportarlo. Ojala pudiera ser como tú y vivir sin arrepentimiento pero no puedo. Me siento sucia y culpable. No te lo reprocho, en serio. Porque también me siento plena, increíblemente feliz. Hemos hecho más de lo que en cualquiera de mis fantasías pensé y, sin embargo, debo partir. Sé que lo entiendes. Tengo que encontrar el mecanismo que me permita digerirlo y, más aún, aceptarlo. Si lo encuentro, volveré. Pronto, mucho antes de lo pensado. Si no, es probable que no volvamos a vernos. Ruega a tus dioses porque lo consiga. No te pido que me esperes. Tan sólo que no dejes de pensar en mí.

Con amor, tu hija

Ahora, cuando han transcurrido apenas unas horas, sé que pasaré lo que me reste de existencia aguardando su regreso. He cancelado la gira sin dar explicaciones. Tampoco le he dicho mayor cosa a Rachel, que piense lo que quiera. Me voy a encerrar a cal y canto en esta casa a esperar su vuelta, la de Emily. Por fin puedo decir que un hombre cualquiera no es mucho más feliz que yo. Yo lo he sido tanto o más que los otros, que el resto de la humanidad.

Acodado en mi baranda miro hacia la playa. Se fragmenta en una infinidad de gránulos de arena. De nuevo una crispación. Sólo que ahora reconozco su origen. A lo lejos, una figura se acerca sin titubeos, proyectando una larga sombra casi blanca, pálida, que se extiende hasta llegar al mar. El sol me pega en la cara, obligándome a entrecerrar los ojos. No puedo discernir si quien se acerca no es sólo una promesa, su reflejo, mi fantasía o nuestro deseo. No importa. En lo que respecta a la felicidad, basta creerla para que sea real.

He desvelado el secreto. La felicidad consiste en tener culpas para superarlas y en estar dispuesto al sufrimiento máximo: el de haberla conocido, no tenerla más y fundar todas nuestras esperanzas en su regreso. He ahí la causa de nuestra imperfección.

La noche es inmune al arrullo de los insomnes.

Ciudad de México a 6 de
noviembre de 2009

México, D.F., lunes 11 de julio de 2011

ACTA DEL PREMIO

El jurado del Primer Premio LIPP de Novela, reunido el 11 de julio de 2011, resolvió por decisión unánime entregarlo a la novela *Con amor, tu hija,* de editorial Alfaguara, presentada con el seudónimo Calitren, que una vez abierta la plica resultó ser **Jorge Alberto Gudiño Hernández**.

El jurado sustentó su criterio en la originalidad del tratamiento del tema, la sensualidad y la fluidez narrativa de la obra.

Los originales que participaron en este premio fueron suministrados por diversas editoriales, habiendo garantizado que todos ellos están contratados para ser publicados en su catálogo en fecha próxima.

El jurado:

Silvia Molina
Beatriz Rivas
Rafael Tovar y de Teresa
Xavier Velasco
Rafael Pérez Gay
Gastón Melo

Sealtiel Alatriste,
Presidente del jurado

Alfaguara es un sello editorial del Grupo Santillana

www.alfaguara.com.mx

Argentina
www.alfaguara.com/ar
Av. Leandro N. Alem, 720
C 1001 AAP Buenos Aires
Tel. (54 11) 41 19 50 00
Fax (54 11) 41 19 50 21

Bolivia
www.alfaguara.com/bo
Calacoto, calle 13 n° 8078
La Paz
Tel. (591 2) 279 22 78
Fax (591 2) 277 10 56

Chile
www.alfaguara.com/cl
Dr. Aníbal Ariztía, 1444
Providencia
Santiago de Chile
Tel. (56 2) 384 30 00
Fax (56 2) 384 30 60

Colombia
www.alfaguara.com/co
Calle 80, n° 9 - 69
Bogotá
Tel. y fax (57 1) 639 60 00

Costa Rica
www.alfaguara.com/cas
La Uruca
Del Edificio de Aviación Civil 200 metros
  Oeste
San José de Costa Rica
Tel. (506) 22 20 42 42 y 25 20 05 05
Fax (506) 22 20 13 20

Ecuador
www.alfaguara.com/ec
Avda. Eloy Alfaro, N 33-347 y Avda. 6 de
  Diciembre
Quito
Tel. (593 2) 244 66 56
Fax (593 2) 244 87 91

El Salvador
www.alfaguara.com/can
Siemens, 51
Zona Industrial Santa Elena
Antiguo Cuscatlán - La Libertad
Tel. (503) 2 505 89 y 2 289 89 20
Fax (503) 2 278 60 66

España
www.alfaguara.com/es
Torrelaguna, 60
28043 Madrid
Tel. (34 91) 744 90 60
Fax (34 91) 744 92 24

Estados Unidos
www.alfaguara.com/us
2023 N.W. 84th Avenue
Miami, FL 33122
Tel. (1 305) 591 95 22 y 591 22 32
Fax (1 305) 591 91 45

Guatemala
www.alfaguara.com/can
7ª Avda. 11-11
Zona n° 9
Guatemala CA
Tel. (502) 24 29 43 00
Fax (502) 24 29 43 03

Honduras
www.alfaguara.com/can
Colonia Tepeyac Contigua a Banco
  Cuscatlán
Frente Iglesia Adventista del Séptimo Día,
  Casa 1626
Boulevard Juan Pablo Segundo
Tegucigalpa, M. D. C.
Tel. (504) 239 98 84

México
www.alfaguara.com/mx
Av. Río Mixcoac 274
Colonia Acacías
03240 México D.F.
Tel. (52 5) 554 20 75 30
Fax (52 5) 556 01 10 67

Panamá
www.alfaguara.com/cas
Vía Transísmica, Urb. Industrial Orillac,
Calle segunda, local 9
Ciudad de Panamá
Tel. (507) 261 29 95

Paraguay
www.alfaguara.com/py
Avda. Venezuela, 276,
entre Mariscal López y España
Asunción
Tel./fax (595 21) 213 294 y 214 983

Perú
www.alfaguara.com/pe
Avda. Primavera 2160
Santiago de Surco
Lima 33
Tel. (51 1) 313 40 00
Fax (51 1) 313 40 01

Puerto Rico
www.alfaguara.com/mx
Avda. Roosevelt, 1506
Guaynabo 00968
Tel. (1 787) 781 98 00
Fax (1 787) 783 12 62

República Dominicana
www.alfaguara.com/do
Juan Sánchez Ramírez, 9
Gazcue
Santo Domingo R.D.
Tel. (1809) 682 13 82
Fax (1809) 689 10 22

Uruguay
www.alfaguara.com/uy
Juan Manuel Blanes 1132
11200 Montevideo
Tel. (598 2) 410 73 42
Fax (598 2) 410 86 83

Venezuela
www.alfaguara.com/ve
Avda. Rómulo Gallegos
Edificio Zulia, 1°
Boleita Norte
Caracas
Tel. (58 212) 235 30 33
Fax (58 212) 239 10 51

Este ejemplar se terminó de imprimir en el mes julio de 2011,
En Impresiones en Offset Max, S.A. de C.V.
Catarroja 443 Int. 9 Col. Ma. Esther Zuno de Echeverría
Iztapalapa, C.P. 09860, México, D.F.